성공적인 투자유치를 위한
스타트업 회계

성공적인 투자유치를 위한
스타트업 회계

김상현, 김상민 지음

🍃 북마크
BOOKMARK

최근 몇 년 동안 대한민국 스타트업 시장은 놀랄 만한 성장을 이루어 냈다. 이러한 성장은 4차 산업혁명에 따른 새로운 산업의 등장, 벤처 기업에 대한 투자 활성화, 그리고 정부의 창업 지원 정책 강화 등이 뒷받침 되었기 때문이다. 창업과 투자 활동이 활발해지면서 투자를 원하는 벤처 기업도 급속하게 증가했다. 성공적인 투자 유치를 위해서는 회계 분야에 대한 이해가 필수적이며, 이로써 회계가 많은 관심을 받기 시작했다. 그러나 스타트업 경영자들은 회계를 학습할 시간이 부족하다는 문제에 처해 있다.

본서는 스타트업 경영자들에게 효율적이고 효과적으로 투자 유치와 관련된 중요한 회계 지식을 전달하기 위해 저술되었다. 특히, 아래와 같은 이들에게 유용할 것으로 생각된다.

- 투자 유치를 위해 미리 회계 지식을 습득하려는 예비 창업자
- 세무 대리인 선택과 세무 대리 업무에 관심 있는 창업자 및 업무 담당자
- 투자 유치를 준비하거나 투자 검토 프로세스를 진행 중인 창업자 및

업무 담당자
- 회계 관리에 어려움을 겪고 있는 창업자 및 업무 담당자
- IPO를 준비 중인 창업자 및 업무 담당자
- 자금 사고와 같은 재정 문제를 방지해야 하는 창업자 및 업무 담당자

이 책은 총 6개의 파트로 구성되어 있으며, 각 파트에는 다음과 같은 핵심 내용이 포함되어 있다.

(Lesson1) 스타트업 경영의 출발점, 회계관리

회계관리의 중요성, 사업자 형태의 결정, 좋은 세무대리인의 선정 등에 관한 내용으로 구성되어 있다.

(Lesson2) 경영자를 위한 회계지식

회계와 재무제표 그리고 재무제표 이해를 돕는 유용한 회계자료에 대한 설명으로 구성되어 있다.

(Lesson3) 스타트업 경영자가 주의해야 할 회계

현금장부, 가지급금, 개발비 등 스타트업 회계관리 과정에서 실무적으로 자주 등장하는 여러가지 회계정보로 구성되어 있다.

(Lesson4) 생소하지만 알아야 할 정보

회계 관련 업무인 회계감사, 재무실사, 추정손익계산서 등 투자유치 과정에서 스타트업 경영자가 접하게 될 여러 주제에 관해 서술하고 있다.

(Lesson5) 스타트업 경영에 필요한 세무정보

비상장주식평가, 법인세, 소득세, 부가가치세 등 스타트업 경영 과정에서 발생하는 여러 세무 주제로 구성되어 있다.

(Lesson6) 일어나선 안 될 자금사고

자금사고에 취약한 스타트업 특성을 고려하여, 자금사고 유형과 방지대책을 기술하였다.

회계가 잘 관리되어 있다고 해서 투자 유치가 반드시 성공하는 것은 아니지만, 잘못된 회계 관리는 투자 유치에 부정적인 영향을 미칠 수 있음을 명심해야 한다. 주어진 투자 기회를 잘 활용하기 위해서는 적절한 회계 관리가 필수다.

본서의 출간에 물심양면 도움을 주신 정종희 회계사님과 집필에 영감을 주신 고객사 분들, 출간이라는 꿈을 현실로 만들어 주신 북마크 정기국 사장님 그리고 항상 함께하는 회계법인 팀원분들께 감사의 말씀을 전한다.

끝으로 사랑하는 가족에게 감사의 마음을 전한다.

김상현, 김상민

CONTENTS

Lesson 1

스타트업 경영의 출발점,
회계관리

1. 스타트업이 회계에
   관심을 가져야 하는 이유

스타트업(Startup)이란 일반적으로 혁신적 기술과 아이디어를 보유한
신생 벤처기업을 의미한다. 일반적인 사업체와 달리 스타트업은 독특한
생애주기(Life Cycle)를 보인다. 일반적으로 초기 스타트업은 매출이 발
생하지 않는 경우가 많고, 회사가 보유한 모든 자원을 인건비, 개발비 등
투자 목적으로 사용한다. 수익 없이 비용만 지출하고 있는 상황에서 스
타트업의 가장 큰 과제는 생존이다.

죽음의 계곡이라고 불리는 '데스밸리(Death Valley)'에서 간신히 생존
하더라도, 많은 스타트업들이 후순위 관심사로 미뤄뒀던 회계 때문에 발
목 잡히는 경우를 심심찮게 볼 수 있다. 회계 오류가 있는 재무제표는 자
금조달 실패라는 치명적인 결과를 불러오기 때문이다.

회계로 고생하지 않으려면 그 중요성을 인지하고, 처음부터 올바른 회계장부를 작성하기 위해 노력해야 한다. 회계장부를 잘 작성하기 위해 신경써야 할 점에 대해 알아보자.

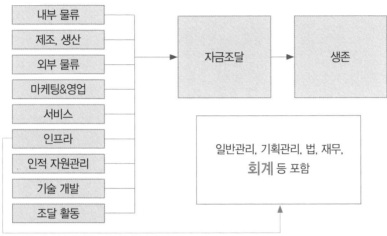

(마이클 포터(Michael Eugene Porter) 교수의 가치사슬모형(Value Chain, 1985.)을 활용함)

회계관리의 시작은 경영자의 관심

초창기 스타트업의 구성원 중 회계세무 전문가가 포함되어 있는 경우는 많지 않다. 이 때문에 대부분 외부전문가인 회계사나 세무사에게 장부작성 업무를 위탁한다. 각종 거래행위에 대한 증빙자료를 외부전문가에게 보내고, 외부전문가는 수령한 자료를 토대로 회계장부를 작성한다. 이때 중요한 점은 외부인이 장부작성을 대행한다는 사실이다. 나를 가장 잘 아는 사람은 나 자신이다. 회사도 마찬가지다. 회사에 대해 가장 잘 아는 사람은 회사 내부의 임직원이다. 외부전문가는 외부인이기 때문에 회사 내부 인력만큼 회사에 대해 잘 알지 못한다. 잘 알지 못하는 외부인을 통해 완성도 있는 회계장부를 만드는 것은 결코 쉬운 일이 아니다.

그럼 완성도 있는 회계장부를 만들기 위해 무엇이 중요할까? 정답은 경영자의 관심이다. 경영자가 회계 전문가일 필요는 없다. 그렇지만 적어도 회계가 무엇인지, 그리고 외부에 위탁하여 만든 내 회사의 회계장부에 문제가 없는지 관심을 가져야 한다.

실무에서는 많은 스타트업이 세무대리인에게 통장내역, 카드사용내역 등의 자료를 전달할 때 세부내역을 정확하게 설명하지 않아 잘못된 회계처리로 이어지는 경우가 많다. 또한, 여러 업체의 회계업무를 동시에 수행해야 하는 세무대리인은 세부내역이 기재되지 않은 자료를 전달받게 되면 업무의 편의성을 위해 현금, 가지급금, 가수금 등 사실과는 다른 계정과목을 써서 임시로 처리하는 경우가 있다. 결산하면서 임시 계정과목으로 처리했던 것들이 본래 계정과목으로 가게 되면 다행이지만, 본래의 자리를 찾지 못하고 계속 방치된 상태로 누적되면 나중에는 손을

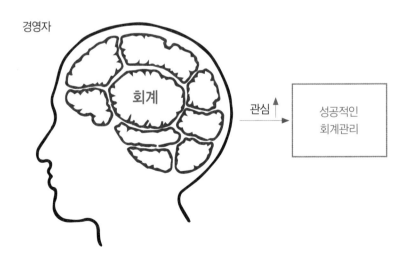

쓸 수 없는 지경까지 갈 수 있다.

　가장 흔하게 보이는 사례는 단돈 1원도 갖고 있지 않은 회사의 재무제표에 현금이 나타난 경우이다. 현금이라는 계정과목은 예적금계좌에 있지 않고 실제로 보관 중인 지폐나 동전 등을 의미한다. 회사의 경영자는 본인도 모르는 사이, 작게는 몇천만 원에서 많게는 몇십억 원이 있는 회사의 오너가 되어 있을 수 있다. 장부 작성이 잘못되었을 때 가장 큰 피해자는 세무대리인이 아니라 회사이므로, 외부전문가에게 회계업무를 위탁하더라도 성공적인 스타트업 경영을 위해 회계에 관심을 가져야 한다.

2. 스타트업과 세무대리인의 역할

현재 외부 회계법인에게 기장업무를 위탁하고 있는 A사, 그리고 이제 막 회계관리에 관심을 갖게 된 A사의 대표이사 K씨. K씨는 회계관리에 관심을 가져야 한다는 건 알고 있지만, 기장업무를 맡기면 세무대리인이 어떤 일을 해주는지 그리고 회계관리를 위해 당장 무엇부터 해야 할지 궁금하다.

대부분의 스타트업은 회계업무 전담인력을 갖추지 못한 경우가 많아, 외부전문가에게 회계 · 세무 업무를 위탁한다. 이를 실무적으로 '기장 맡긴다'라고 표현한다. 하지만 위탁한다고 하여 회사의 모든 회계 · 세무 업무가 원활하게 진행되는 것은 아니며 지속적인 관리가 필요하다. 지금부터 세무대리인에게 위탁하는 업무의 종류와 성격을 분명히 알고, 성공적인 회계업무 위탁을 위해 스타트업이 해야 할 일이 무엇인지 알아보자.

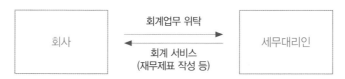

기장을 맡은 세무대리인의 업무

세무대리인은 납세자의 세금신고 업무를 위임받아 대리로 수행하는 자를 말하며, 세무대리 업무는 공인회계사, 세무사 등 법률상 세무대리 권한이 있는 자만 수행할 수 있다.[1] 일반적인 세무대리인의 업무는 회계업무와 세무업무로 나뉜다.

1) 회계업무

장부기장 : '장부기장'의 사전적 의미는 '장부에 기록함'인데, 회계에서는 기업의 여러 경제적 활동을 회계기준에서 요구하는 형식에 맞춰 자산, 부채, 자본, 수익, 비용으로 구분하여 장부에 적는 것을 '장부기장'이라고 한다. 임의로 장부를 작성하는 것은 불가능하며, 세금계산서, 영수증, 계약서와 같은 증빙자료를 바탕으로 장부를 정리하게 된다. 즉, 세무대리인은 회사로부터 받은 증빙자료에 근거하여 재무제표를 작성한다.

2) 세무업무

가) 부가가치세 신고

법인사업자는 1년에 4번, 개인사업자는 1년에 2번(간이과세자는 1년에 1번) 부가가치세를 신고·납부(환급)할 의무가 있다. 세무대리인은 부가가치세 신고 대상 금액을 정리하고 신고 업무를 대행한다.

---

1) 세무사법 제20조의2

나) 원천세 신고

원천세란 원천징수 대상 소득인 사업소득, 기타소득, 근로소득, 연금소득, 퇴직소득 등에 부과하는 소득세, 지방소득세를 의미하며, 원천징수제도란 소득귀속자(소득을 받는 자) 대신 사업자(소득을 지급하는 자)가 세금을 일부 제하여 국가에 납부하는 제도다. 세무대리인은 회사의 급여명세 등을 바탕으로 원천징수해야 할 원천세 소득을 정리하고 국세청에 신고한다.

다) 세무조정 및 법인세(종합소득세) 신고

법인사업자는 결산일로부터 3개월 이내, 개인사업자는 매년 5월 31일까지 법인세 및 종합소득세를 신고 · 납부해야 한다. 장부기장을 통해 만들어진 재무제표는 법인세법이 아닌 기업회계 기준에 따라 작성되었으므로, 손익계산서의 회계상 이익을 세무신고를 위한 법인세법상 과세표준으로 변환해야 한다. 이러한 변환 작업을 세무조정이라고 하는데, 세무대리인은 세무조정 업무와 법인세(소득세) 신고 업무를 대행한다.

라) 기타

4대보험 득실 신고, 연말정산, 주식 양수도, 주식 가치평가 등 여러 부수적인 업무도 수행한다.

대개 세무대리인의 역할을 세금신고 대행으로만 생각하는 경우가 많은데, 투자유치를 준비하는 스타트업은 완성도 있는 재무제표 작성을 위해 세무뿐만 아니라, 회계도 철저히 관리해야 한다.

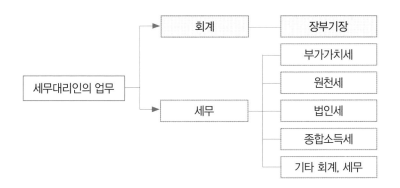

원활한 위탁업무 진행을 위해선?

1) 세무대리인과 상의한다

일단 회사의 회계·세무와 관련된 일이라면 세무대리인과 공유해야 한다. 회사 스스로 고민하다가 문제가 생긴 사례를 간략하게 얘기해보면 다음과 같다.

가) 매출 누락

"회사와 거래처밖에 모르는 내용이니까, 세무대리인한테 굳이 자료를 전달하지 말아야겠다."

나) 사업소득, 기타소득 신고

"사업소득은 3.3%고 기타소득은 8.8%니까 사업소득으로 신고해달라고 해야겠다."

임의로 판단해 진행했다고 하여도 반드시 문제가 되는 것은 아니다. 운이 좋아 적법하게 신고되어 아무일 없이 지나갈 수도 있다. 하지만 잘 못되었을 때 모든 책임은 회사가 떠안는 것이므로 반드시 세무대리인과 상의해야 한다.

2) 모든 자료를 전달한다

회사는 모든 자료를 전달했다고 생각하지만 자료를 받는 세무대리인 입장에선 자료가 누락되는 경우가 많다. 자료가 누락되는 원인은 회사가 실수로 누락한 경우와 임의로 판단해 전달하지 않는 경우로 나뉜다.

실수로 빠졌을 때는 세무대리인이 매월 받은 자료와 대사하기 때문에 비교적 수월하게 빠뜨린 자료를 찾아낼 수 있다. 하지만 임의로 판단하여 전달하지 않는다면 찾아내는 것이 쉽지 않다. 대표적으로 예금, 대출 등 금융계좌 거래명세를 보내주지 않는 경우이다. 회사의 특정 금융계좌에 1년간 아무런 거래가 없어 그 계좌명세를 세무대리인에게 전달하지 않는 경우가 있다. 하지만 거래가 없어도 장부에 반영할 내용이 있을 수 있다.

일례로 금융기관에서 대출을 실행할 때 법인계좌를 거치지 않고 거래처로 대출금을 곧바로 송금하는 경우이다. 아무런 거래가 없을지라도 대출 계좌를 넘겨주면 세무대리인이 어떤 용도의 계좌인지 확인하는 과정을 거치면서 재무제표에 대출 회계처리가 누락될 가능성은 낮아지게 된다.

3) 자료 전달 시 관련내용을 기재한다

회계업무를 위탁하는 대부분의 회사가 자료를 전달할 때 어떤 용도로 썼는지 정확하게 표시해주지 않는 경우가 많다. 그런데 정확한 내용 파악이 안 되면 세무대리인이 계정과목, 거래내용, 거래처명 등을 잘못 입력할 수 있고 결과적으로 재무제표가 잘못 작성될 수 있다. 전문가에게 맡겼으니 신경쓰고 싶지 않은 마음은 충분히 이해하지만, 장부를 잘 만들기 위해선 회사의 도움이 꼭 필요하다.

4) 결과물을 확인한다

회사의 이슈를 세무대리인과 꼼꼼하게 상의하고, 관련 자료에 상세 내용을 기재하여 전달했다면 이제 마지막 절차가 남았다. 바로 기장업무로 만들어진 결과물을 확인하는 것이다. 결과물에는 재무상태표, 손익계산서, 부가세 신고서, 법인세 세무조정계산서 등 여러 가지가 있는데, 다른 건 몰라도 재무상태표, 손익계산서, 분개장, 잔액 명세서만큼은 반드시 확인해야 한다. 구체적으로 어떤 부분을 확인하면 좋은지 알아보면 다음과 같다.

- 재무상태표 : 현금, 가지급금, 매출채권, 대여금, 재고자산, 가수금, 매입채무, 차입금 중 잘못되거나 누락된 금액이 없는지?

- 손익계산서 : 매출액이 회사가 알고 있는 매출액과 일치하는지?

- 분개장 : 계정과목, 거래처명, 적요가 잘 적혀 있는지?

- 잔액 명세서 : 회사가 모르는 거래처가 있는지? 거래처별로 금액이 다른 것이 있는지?

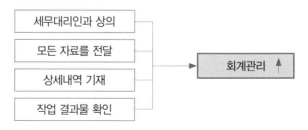

3. 법인사업자와 개인사업자 중 무엇으로?

기술 스타트업 창업을 고민하는 L씨. 사업자등록을 위해 세무서를 찾아간
L씨는 법인사업자와 개인사업자 중 어떤 사업자로 등록할지 선택하라는
이야기를 들었다. L씨는 어떤 사업자로 시작하는 것이 유리할지 궁금하다.

창업을 준비하는 스타트업의 가장 흔한 고민 중 하나가 '사업자 형태
의 결정'이다. 일반적으로 세금을 덜 내기 위한 방법으로 법인과 개인 중
어떤 사업자 형태를 선택할지 고민하는 경우가 많은데, 스타트업은 사
업자 형태를 단순하게 세금만 놓고 결정해선 안 된다. 사업자 형태 결정
을 위해서는 우선 법인사업자와 개인사업자가 무엇인지 알아야 한다.

법인사업자란?

법인은 자연인(사람)이 아니지만 권리능력을 가진 법인격을 부여받은
존재이다. 우리나라 상법에서는 '회사'를 상행위나 그 밖의 영리를 목적
으로 설립한 법인으로 정의하며, 회사의 종류에는 합명회사, 합자회사,

유한책임회사, 유한회사, 주식회사 5가지가 있다.[2] 2020년 국세통계포털 통계자료에 따르면 우리나라 회사 형태 중 주식회사가 차지하는 비율이 약 95%에 달하고, 일반적으로 투자유치를 위해서는 주식회사 형태가 유리하기 때문에 주식회사를 기준으로 알아보자.

주식회사는 1인 이상의 주주로 구성된다. 최초 설립에 소요되는 기간은 약 2주 정도로 '발기인 조합구성'부터 마지막 설립 절차인 '법인설립신고'까지 약 10단계를 거쳐야 하므로 설립 절차가 다소 복잡하다. 법인설립을 마친 후 사업자등록을 신청하면 비로소 법인사업자가 된다. 법인의 소득에 적용되는 법인세율은 과세표준에 따라 9~24%(법인지방세 제외)이 적용된다(2023년 기준). 법인의 소유자인 주주는 출자지분을 한도로 유한책임을 지며, 법인의 이해 관계자가 법인의 자금을 임의로 입출금할 경우 '업무무관 가지급금 인정이자', '지급이자 손금불산입'과 같은 세무상 패널티가 존재한다.

법인은 개인사업자에 비해 이익을 유보하여 재투자하는 것이 용이하며, 대외적인 신뢰도가 높아 외부자금 조달 측면에서 유리한 점이 있다. 또한, 벤처캐피탈, 액셀러레이터와 같은 기관투자자로부터 투자를 유치하기 위해서는 법인 형태가 유리하다.

개인사업자란?

개인사업자란 등록된 대표자가 경영의 모든 책임을 지는 사업자를 말한다. 개인사업자의 설립 기간 즉, 사업자 신청부터 등록까지는 평균 3

---

2) 상법 제170조

일 이내의 기간이 소요되며, 세무서 방문 혹은 인터넷 홈택스를 통해 진행하므로 법인에 비해 절차가 단순하다. 개인사업자의 소득에 적용하는 종합소득세율은 6~45%(개인지방소득세 제외)이며, 대표자가 사업체에 무한책임을 진다. 개인사업자는 자금을 임의로 입출금 시 세법상 패널티가 존재하지 않는다는 장점이 있지만, 당해 발생한 모든 이익에 대해 세금을 부과하므로 재투자 관점에서는 불리하다. 또한 개인사업자가 곧 대표자이기 때문에 법인에 비해 대외신뢰도가 낮고 외부자금 조달이 용이하지 않다는 한계점이 있다.

법인사업자와 개인사업자 비교

법인사업자와 개인사업자의 주요 특징을 표로 정리하면 아래와 같다.

구분	법인사업자(주식회사)	개인사업자
설립기간	약 2주 소요	3일 이내
설립절차	복잡	단순
세율	9~24%	6~45%
사업자의 책임	출자지분 내 유한책임(주주)	무한책임
대표자 급여	비용 인정 O	비용 인정 X
자금의 사용	법인의 자금이므로 임의 입출금 시 세무상 패널티 존재	자유로운 입출금 가능
재투자 관점	당해 발생이익을 유보하여 재투자 가능	당해 발생한 모든 이익에 대해 세금 부과하므로 재투자 불리
외부투자 유치	유리	불리
대외 신뢰도	높음	낮음

사업자별 특성을 고려할 때 외부투자 유치, 금융기관 대출 등을 통한 자금조달이 필요한 상황에서는 대외적인 신뢰도가 높은 법인사업자가 개인사업자에 비해 유리하고, 재투자 및 외부투자의 중요성이 높지 않은 개인방송BJ, 프리랜서 작가·개발자 등의 업종은 법인사업자보다 개인 사업자가 유리할 수 있다. 사업의 확장성, 투자, 신뢰도가 중요하다는 점을 고려하면, 대부분의 스타트업에게는 법인사업자가 유리하다.

　결론적으로 세금을 최대한 덜 내고 싶은 사업자의 마음은 충분히 공감하지만, 투자유치를 통한 성장을 꿈꾸는 스타트업이라면 단순하게 '세금의 차이'가 사업자 형태를 결정짓는 핵심요소가 되어서는 안 된다. 법인사업자와 개인사업자 각각의 특성을 정확하게 인지하고 사업의 방향성에 맞는 사업자 형태로 결정하는 것이 바람직하다.

4. 개인사업자의 법인전환

P씨는 온라인교육플랫폼 S사를 운영하고 있다. 최근 몇 년간 개인사업자로
시작한 사업이 번창하며 P씨의 사업에 투자하겠다는 투자자가 나타났다.
P씨는 평소 친하게 지내던 K회계사에게 세금과 투자에 관한 고민을 털어
놨더니, 투자를 위해서는 법인사업자 전환이 필요하다는 이야기를 들었다.

 개인사업자로 시작했으나 사업이 성장함에 따라 세금 부담, 투자측면
혹은 기타 사유로 인해 법인사업자로의 전환을 고민할 수 있다. 개인사
업자 스타트업이 법인 전환을 고민하는 대표적인 이유 중 하나는 세금이
다. 소득세법 개정으로 2021년부터는 개인의 종합소득에 대해 최고 45%
의 세율이 적용된다.[3] 지방소득세까지 합하면 절반에 가까운 금액이 소
득세로 부과되는 것이다. 물론 종합소득세는 소득금액이 커질수록 높은
세율을 적용하는 누진세이므로, 소득세율 개정으로 인한 세금 부담은 과
세표준이 10억 원을 초과하는 고소득자에 국한된다. 하지만 과거에 비

---

3) 소득세법 제55조 제1항

해 갑자기 매출이 급성장하는 개인사업자 스타트업이 증가하면서 상대적으로 세율이 낮은 법인으로 전환을 고민하는 스타트업이 늘어나고 있다. 세금 외 법인 전환을 고려하는 또다른 이유는 투자를 받기 위함이다. 지분투자를 받기 위해선 주식회사이어야 하므로 투자를 희망하거나 투자를 앞둔 스타트업은 반드시 법인사업자로 전환해야 한다.

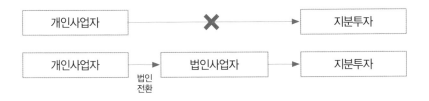

법인 전환 방법 4가지

법인으로 전환하는 방법은 크게 4가지가 있다.

첫 번째는 개인사업자를 폐업한 후 신규법인을 설립하는 것이다. 이는 사업의 양수도 없이 개인사업자 폐업 절차를 마치고 신규법인을 설립하여 새롭게 사업을 시작하는 방식으로 개인사업자 폐업 절차와 법인 신규 설립 절차를 잘 진행하면 된다. 이 방법은 폐업과 신규 설립 프로세스에 하자만 없으면 쉽게 진행할 수 있다는 장점이 있지만, 개인사업자의 자산, 부채 및 권리 의무가 신규법인에 자동으로 승계되는 것이 아니기 때문에 이전과정이 불편할 수 있다. 일반적으로 신규법인에 이전할 사업용 고정자산이 없는 경우 많이 사용된다.

두 번째는 사업을 포괄양수도 하는 것이다. 개인사업자와 신규법인 간 자산·부채의 포괄적 양도, 사업 내용의 승계, 양수도 시점까지 사업의 동일성 유지, 종업원 승계를 전제로 한 포괄양수도 계약을 체결하는 방법이다. 포괄양수도란 사업의 모든 물적·인적 자원의 권리와 의무를 포괄적으로 양수도하는 거래이다. 포괄양수도의 프로세스를 살펴보면, 우선 법인 전환일까지의 개인사업자 결산을 통해 순자산 가액을 결정하고 신규법인을 설립하여 포괄양수도를 위한 이사회 승인, 주총결의를 진행한다. 다음으로 사업포괄양수도 계약을 체결하고 개인사업자의 폐업신고를 진행한다. 이후 금융계좌, 부동산, 차량운반구, 비품 등의 명의변경을 완료하면 절차가 마무리된다. 이 방법은 사업승계에 따른 부가가치세가 면제되고[4], 개인사업자의 사업이 법인에 그대로 이전되므로 전환이 편리하다. 또한 사업양도 시 발생하는 양도소득세가 이월되며[5] 신규법인의 부동산 취득세도 감면[6]된다는 장점이 있다. 다만, 세제 혜택을 받기 위해서는 신규법인의 자본금이 개인사업자의 순자산 가액 이상이 되어야 하므로, 순자산 가액 이상 현금이 없는 경우 세제 혜택을 받을 수 없다[7].

세 번째는 현물출자 하는 것이다. 포괄양수도에 따른 세제 혜택을 누리고 싶지만, 보유현금이 충분치 않을 때 현물로 출자하는 방법이다. 개인사업자의 사업용 고정자산을 포함한 자산·부채를 신규법인에 포괄적으로 출자하는 방법인데, 자본금으로 납입할 현금이 충분치 않더라도

---

4) 부가가치세법 제10조 제9항
5) 조세특례제한법 제32조 제1항
6) 지방세특례제한법 제57조의2 제4항
7) 조세특례제한법 제32조 제2항

출자재산총액이 개인사업자의 순자산 가액을 넘어 양도소득세 이월과세, 부동산 취득세 감면 등의 세제 혜택을 누릴 수 있다는 장점이 있다.[8]

현물출자 포괄양수도의 프로세스를 살펴보면, 우선 법인 전환일까지 개인사업자의 결산을 통해 순자산 가액을 결정한다. 다만, 현금출자와 달리 재산에 대한 감정평가와 회계감사가 필수적이기 때문에 절차가 복잡하며 추가 비용이 발생한다. 현물출자가액이 확정되면 현물출자를 진행한 후 법원에 인가를 신청한다. 법원은 검사인을 선임해 조사를 이행하여 인가 여부를 결정한다. 이후 법인의 사업자등록과 개인사업자의 폐업 신고를 진행하고, 금융계좌, 부동산, 차량운반구, 비품 등의 명의변경을 완료하면 마무리된다. 이 방법은 현금 조달이 쉽지 않고, 사업용 고정자산 규모가 매우 큰 경우에 많이 사용된다.

네 번째는 개인사업자와 신규법인 간 포괄양수도 계약을 체결하였지만, 세제 혜택은 받지 못하는 방법이다. 흔히 일반 사업포괄양수도라고 불리며 전환과정은 두 번째로 설명한 세제 혜택이 있는 포괄양수도 방법과 같다. 사업승계에 따른 부가가치세를 과세하지는 않지만, 세제감면 요건을 충족하지 못해 양도소득세 이월과세, 취득세 면제 등 조세 혜택을 받을 수 없다는 단점이 있다. 즉, 법인전환에 따라 발생하는 세금을 모두 부담하여야 하는 방법이므로, 일반적으로 세제감면 포괄양수도 및 현물출자 방법을 활용할 수 없는 특수한 때에만 사용된다.

---

8) 조세특례제한법 제32조 제1항

[Q&A]

Q : 개인사업자로 사업을 하고 있습니다. 법인으로 전환할 경우에 개인사업자에서 발생한 매출을 법인으로 갖고 올 수 있나요?

A : 개인사업자를 법인사업자로 전환하더라도 법인 전환 전에 발생한 매출은 법인사업자의 매출로 표시할 수 없습니다.

5. 스타트업 자본금

주식회사 형태의 법인사업자 창업을 앞둔 L씨. 법인 설립업무를 위탁했던
법무법인에서 설립자본금을 기재해달라는 요청을 받았다. 향후 투자유치
까지 염두해 두고 있는 L씨는 자본금을 얼마로 정해야 할지 고민이다.

과거 상법에서는 법인의 자본금 최저 규모를 5,000만 원으로 제한했지
만, 2009년에 상법이 개정되면서 최저자본금제도가 폐지되었다. 현행법
상 단돈 100원만 있어도 주식회사를 설립할 수 있는 것이다. 최저자본금
제도의 폐지로 인해 많은 스타트업이 자본금을 100만 원 전후의 낮은 규
모로 설정하는 때도 있는데, 생존을 위해 자본조달이 필수인 스타트업에
게 과도하게 낮은 자본금은 단점이 될 수 있다. 적정자본금을 결정하기
위해 우선, 자본금의 계산방법과 구성요소를 알아보도록 하자.

자본금의 계산

자본금 = 발행주식수 X 1주당 액면금액

먼저, 자본금이 어떻게 계산되는지 알아야 한다. 자본금은 '발행주식수 X 1주당 액면금액'이다. 1주당 액면금액을 얼마로 하느냐에 따라 발행주식수가 달라진다. 만약, 100만 원을 최초 자본금으로 설정한다면 액면금액이 1주당 1,000원일 때 1,000주가 발행되며, 10,000원이면 100주가 발행될 것이다. 간략하게 자본금의 계산법에 대해 알아보았는데, 이제부터 자본금의 구성 요소인 자본금의 규모, 발행주식수 그리고 1주당 액면금액에 대해 조금 더 자세히 알아보자.

자본금의 구성요소

1) 자본금의 규모

금융기관, 투자자와 거래할 일이 많은 스타트업은 자본금이 클수록 유리할 때가 많다. 우선, 지분투자자로부터 투자금을 유치할 때 기업가치 측정이 자본금을 기준으로 이뤄진다는 점을 알아두자. 예를 들어 한 엔젤투자자가 자본금이 100만 원인 A 회사의 기업가치를 10억 원으로 평가(Valuation)하였다고 가정하자. 투자배수를 산출하는 공식은 '투자배수 = 기업가치/자본금'이므로, 이런 상황에서는 투자자가 A 회사를 1,000배수(=10억 원/100만 원)로 평가했다고 표현한다. 만약 자본금이 1천만 원이라면 투자배수는 100배(=10억 원/1천만 원)이다. 일반적으로는 회사와 투자자 모두 낮은 배수로 투자하는 것이 유리하기 때문에, 자본금이 큰 것이 회사의 가치평가 관점에서는 유리할 가능성이 높다. 또한 자본금이 크면 회사의 소유자인 주주자금이 많이 투입되었다는 것이므로 외부에서 봤을 때는 자본금이 100만 원인 회사보다 1,000만 원인 회사가 더욱 안정적이고 건실하게 보이는 이점이 있다. 따라서 설립 초기 회사의 경우 가능한 자본금을 큰 규모로 설정하는 것이 바람직하다.

2) 발행주식수

자본금이 고정되어 있다고 가정했을 때 발행주식수가 늘어나면 1주당 가격이 낮아지므로 더 적은 금액 단위로 주식을 활용할 수 있다. 예를 들어 A회사의 대표이사가 회사 주식을 1,000주 보유하고 있다고 가정해 보자. 회사의 성장에 기여한 직원에게 회사 주식을 증여하려고 하는데, 1,000주를 기준으로 할 때 증여방법 경우의 수가 1,000가지이다. 하지만 10주만을 보유하고 있다면, 증여주식 수는 1~10주 즉, 경우의 수는 10가지뿐이다. 주식매수선택권(Stock Option)을 부여할 때도 부여대상자에게 주식 수를 차등 부여하기에는 주식 수가 많은 게 유용하다.

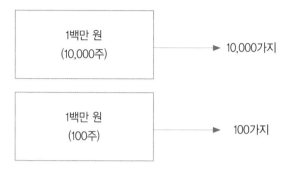

3) 1주당 액면금액

1주당 액면금액은 자본금과 발행주식수를 정하면 자동으로 정해진다. 하지만 회사를 설립할 때부터 발행주식수를 늘리기 위해 액면가를 상법상 1주당 최저 액면금액인 100원으로 설정한다면, 향후 액면분할과 같은 방법을 사용하기 어려울 것이다. 물론 유상증자나 무상증자 등과 같은 방법을 통해 발행주식수를 늘릴 수 있지만, 선택지가 많이 줄어들 수 있다는 것이다. 따라서 설립을 앞둔 스타트업이 있다면 나중을 대비하여 1주당 액면금액을 얼마로 정할지 신중히 고민해보길 바란다.

6. 좋은 세무대리인 선정하기

예비창업자 S씨는 헬스케어 회사 창업을 앞두고 있다. 연구개발비 확보를 위해 투자유치까지 고려해야 하는 S씨는 회사를 설립하면 외부기장을 맡길 생각이다. 하지만 회계사, 세무사에 대한 아무런 정보가 없는 S씨는 누구에게 업무를 맡겨야 할지 고민이다.

세무대리인은 관리업무 핵심인 회계와 세무에 관한 모든 업무를 수행한다. 따라서 어떤 세무대리인과 함께 하는지에 따라 회계관리 업무의 효율성과 질이 달라진다. 회사가 처한 상황을 잘 이해하고, 호흡을 잘 맞춰줄 세무대리인을 선정하기 위해선 무엇을 고려해야 할까?

좋은 세무대리인을 선정하려면?

스타트업은 스케일업과 투자 유치 등, 일반 회사에서는 크게 신경 쓰지 않는 여러 가지 측면을 고려해야 한다. 따라서, 세무 대리인을 선택하기 전에 어떤 도움이 필요한지 명확히 정리하는 것이 중요하다. 도움이 필요한 예를 정리하면 다음과 같다.

- 사업계획 수립
- 수익, 비용 실적 정리
- 투자유치 목적 재무제표 작성
- 회계관리 업무 효율화
- 세무신고

위와 같이 필요한 사항을 정리한 다음, 도움을 받을 수 있는 세무대리인을 찾아야 한다. 특히, 스타트업 시장에 대한 이해도가 높은 세무대리인이라면 더욱 원활한 업무진행이 가능하다. 스타트업의 세무대리인 선정기준 예시는 다음과 같다.

- 스타트업 생태계를 이해하고 있는지?
- 회사 비즈니스 모델에 대해 충분히 이해하고 있는지?
- 기장 업무방식이 원활한지?
- 어떤 업무까지 도움을 줄 수 있는지?
- 적정 수수료를 요구하는지?

위와 같은 여러가지 기준이 있어도 100% 만족스러운 세무대리인을 찾기란 쉽지 않을 것이다. 나에게 도움을 줄 수 있는 세무대리인이 좋은 세무대리인이라는 점을 마음속에 새겨두고 신중히 결정하도록 하자.

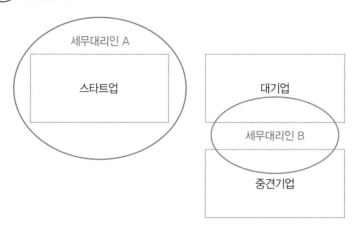

○ : 전문분야

세무대리인 A

스타트업

대기업

세무대리인 B

중견기업

7. 외부기장과 내부기장

최근 Series A 투자를 마친 IT 스타트업 C사는 외부 회계법인에게 기장업
무를 위탁하고 있다. 하지만 투자 직후 투자자로부터 내부기장을 고려해보
는 것이 어떻겠냐는 조언을 들은 C사. 내부기장을 한번도 생각해보지 않았
던 C사는 외부기장과 내부기장 중 어떤 선택을 할지 고민이다.

일반적으로 사업 규모가 확장되어 여유자금이 확보되기 전까지는 많
은 스타트업이 비용절감을 위해 외부기장을 맡긴다. 하지만 회사의 규
모가 성장하며 업무가 많아지면 더이상 외부기장으로 소화하기 힘들어
지는 때가 온다. 이를테면 투자자 자료 대응, 자금 및 손익 관리, 예산 관
리, 외부회계감사 대응 등 회사 내부에 전담 인력이 없으면 해결하기 어
려운 문제가 생겨나며 내부기장을 고민하게 된다.

외부기장과 내부기장 비교

외부기장을 선택하는 주된 이유는 비용이다. 창업 초기 기업을 기준으로 외부기장 비용은 월 20만 원 정도지만, 내부기장을 하려면 경력직원을 채용해야 하므로 평균적으로 월 250만 원 이상 소요된다. 또한, 내부기장에 필요한 회계프로그램도 구입해야 하므로 외부기장보다 훨씬 많은 자금이 필요하다.

내부기장과 외부기장의 가장 큰 차이는 담당직원의 소속이다. 내부기장은 회사 직원이 직접 수행하기 때문에 업무 지시의 효율성과 업무 수행의 질 측면에서 외부기장보다 유리하다. 자금이 부족한 사업초기에는 주로 외부기장을 맡기지만, Series A, B쯤에 투자금을 확보하면 내부기장으로 전환하는 경우가 많다. 또한, 일부 세무신고 업무를 제외하면 내부기장이 외부기장보다 업무 범위가 넓다. 결론적으로 자금 여유만 있다면 내부기장을 추천한다.

구분	외부기장	내부기장
월평균 비용	매월 20만 원 이상	매월 250만 원 이상
더존 등 회계프로그램	구매할 필요 없음	구매해야 함
담당직원 소속	외부 회사	내 회사
업무 지시 효율성	낮음	높음
업무의 질	낮음	높음
적정 도입 시기	설립 직후 ~	Series A 또는 Series B ~
장부작성	O	O
세무신고	O	△(일부 세금은 외부 세무 대리인을 통해 진행)
투자자 대응	△(제한된 업무만을 수행함)	O
외부 회계감사 대응	△(제한된 업무만을 수행함)	O
내부관리 목적 회계자료 준비	X	O

Lesson2

경영자를 위한 회계 지식

1. 회계와 회계기준

2년 전, 게임 스타트업 A사는 게임개발을 위해 설립되었다. 최근 운영비용이 부족해진 A사는 투자금을 확보하기 위해 벤처캐피탈 B사를 만났고, A사는 B사로부터 투자 유치를 위해서 회계를 철저히 준비해야 한다는 이야기를 들었다. A사의 대표이사 M씨는 회계가 무엇인지 궁금해졌다.

회계란?

회계(Accounting)는 기업의 재정상태, 경영성과, 현금흐름을 측정하고, 이를 이해 관계자들에게 보고하는 활동으로 정의된다. 쉽게 말해, 회계는 기업의 경제활동을 나타내는 언어이며, 기업은 회계라는 언어를 통해 회계정보를 만들어 투자자, 채권자와 같은 정보이용자에게 기업의 정보를 제공한다.

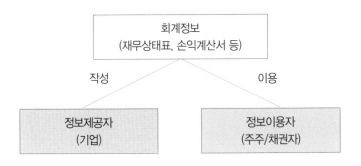

회계기준이란?

　이때 정보제공자인 기업이 다수와 합의되지 않은 자신만의 기준으로 회계정보를 만든다면 정보이용자가 활용할 수 없는 회계정보가 만들어 질 수 있다. 이를 방지하고자 회계시장 주요 구성원들의 합의를 거쳐 일반적으로 인정된 회계원칙(Generally Accepted Accounting Principles, GAAP)이 제정되었고, 기업은 회계정보를 작성할 때 이 회계원칙을 준 수해야 한다.

　일반적으로 인정된 회계원칙은 각 국가의 법률, 경제, 사회 환경에 영 향을 받아 만들어지기 때문에 국가마다 회계정보의 작성 및 표시 방법이 상이하다. 대한민국 소재 스타트업은 한국채택국제회계기준(K-IFRS), 일 반기업회계기준 그리고 중소기업회계기준이라는 회계기준이 적용된다.

회계기준	적용대상	외부감사	관련법령
1. 한국채택국제회계기준	주권상장법인 및 금융회사	의무	주식회사 등의 외부 감사에 관한 법률
2. 일반기업회계기준	외부감사 대상 주식회사		
3. 중소기업회계기준	외부감사 대상 이외의 주식회사	면제	상법

(출처 : 한국회계기준원)

한국채택국제회계기준은 주로 코스피, 코스닥 상장을 앞뒀거나 이미 상장한 스타트업에 적용되며, 한국채택국제회계기준을 적용하지 않는 나머지 기업은 일반기업회계기준과 중소기업회계기준을 적용한다. 한편, 중소기업회계기준은 외부회계감사를 받지 않는 주식회사에 적용 가능하지만, 투자유치를 염두해 둔 스타트업은 사업의 확장으로 단기간 내 외부감사를 받게 될 가능성이 있으므로, 처음부터 일반기업회계기준으로 회계처리하는 경우가 많다.

스타트업 투자유치 과정에는 기업의 회계정보가 앞서 설명한 회계기준을 준수하여 작성되었는지 확인하는 절차가 포함되어 있다. 최근 투자자의 투자검토 절차가 더욱 강화되며 회계기준을 위반한 스타트업이 투자유치에 실패하는 사례가 점차 늘어나고 있다. 따라서, 투자유치를 희망하는 스타트업은 회계관리에 소홀하면 안 된다.

2. 재무제표란?

회계담당 인력이 없던 스타트업 A사는 회계정보 작성을 외부 회계법인에 맡기고 있다. 벤처캐피탈 B사의 조언대로 A사는 회계관리를 위해 세무대리인에게 회계정보 열람을 요청하였고, A사는 세무대리인으로부터 '재무제표.zip'이라는 압축파일을 받았다. A사의 대표이사는 자주 봐왔던 재무제표가 정확히 어떤 자료를 의미하는지 궁금해졌다.

한국채택국제회계기준에서는 재무제표의 범위를 재무상태표, 포괄손익계산서, 자본변동표, 현금흐름표 그리고 주석으로 규정하고 있다. 우리나라 스타트업 대부분에 적용되는 일반기업회계기준 역시 마찬가지로 재무상태표, 손익계산서, 자본변동표, 현금흐름표 그리고 주석을 재무제표의 범위에 포함하고 있다.

〈그림 : 재무제표의 범위〉

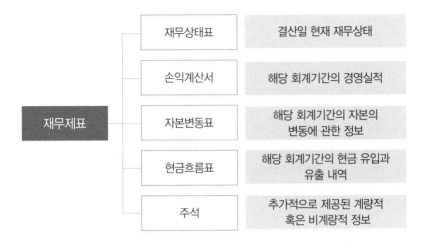

재무상태표

　재무상태표는 기업의 특정시점 재무상태를 보여주는 회계장부이며, 기업의 자금조달 원천과 조달된 자금이 어디에 사용되었는지를 나타낸다.

　재무상태표는 자산, 부채, 자본으로 구성되는데, 차변(좌측)에 표시되는 자산은 기업의 자금이 어떻게 운용되고 있는지, 그리고 대변(우측)에 표시되는 부채와 자본은 기업의 자금이 어떻게 조달되었는지 보여준다. 부채와 자본을 쉽게 구분하는 방법은 기업에게 조달자금의 상환 의무가 있는지 확인해보면 된다. 부채는 상거래에서 기업이 지급해야 할 채무, 금융기관 대출 등 기업이 타인에게 상환해야 할 항목이며, 자본은 회사의 소유주인 주주들로부터 받은 자금으로써 순수하게 기업이 타인에게 갚을 의무가 없는 항목이다.

〈그림 : 재무상태표〉

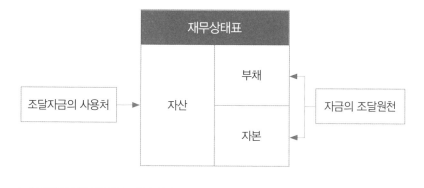

자산 = 부채(상환 의무 O) + 자본(상환 의무 X)

재무상태표에서는 항상 위와 같은 항등식이 성립되며, 정보이용자는 재무상태표를 통해 기업의 자산 규모가 얼마인지, 재무구조가 양호한지, 상환해야 할 부채가 얼마인지, 과거 이익잉여금이 얼마인지 등 여러 정보를 얻을 수 있다.

손익계산서

손익계산서는 기업의 일정기간 동안의 수익과 비용 그리고 최종적으로 이익이 얼마인지 보여주는 회계장부이다. 쉽게 말해, 얼마를 벌었고, 얼마를 썼는지 보여주는 재무제표이다. 또한 단순히 수익과 비용의 크기뿐만 아니라 매출원가, 급여, 연구비 등과 같이 어떤 종류의 수익, 비용이 발생하였는지도 보여준다.

〈그림 : 손익계산서〉

손익계산서	
비용	수익
이익	

수익 − 비용 = 이익

　손익계산서에서는 반드시 위와 같은 항등식이 성립하며, 손익계산서를 통해 기업의 과거 사업실적이 어떠한지, 수익구조는 양호한지 등 경영실적에 대한 여러 정보를 얻을 수 있다.

자본변동표

　자본변동표는 기업의 경영성과 및 주주와의 거래 등으로 인한 자본 변동사항을 보여주는 회계장부이다. 기업의 이익은 자본항목인 이익잉여금에 쌓이게 되며 주주가 자본금을 납입한 경우 자본항목인 자본금이 증가하게 된다. 주주에게 배당을 지급하는 것도 자본변동표를 통해 확인할 수 있다. 이처럼 자본변동표를 통해 기업의 자본 변동사항을 파악할 수 있다.

현금흐름표

현금흐름표는 기업의 일정기간 동안의 현금흐름을 보여주는 회계장부이다. 손익계산서는 수익, 비용, 이익을 보여주지만 발생주의에 따라 작성되었기 때문에 실제 현금흐름과는 일치하지 않는다. 경영진, 주주, 채권자와 같은 기업의 이해 관계자 입장에선 경영실적인 손익계산서 금액도 중요하지만, 실제 현금흐름을 파악하는 것도 중요하다.

〈그림 : 현금흐름표〉

구분	2023년
I. 영업활동으로 인한 현금흐름	XXX
II. 투자활동으로 인한 현금흐름	XXX
III. 재무활동으로 인한 현금흐름	XXX
IV. 현금의 증가(감소)	XXX
V. 기초의 현금	XXX
VI. 기말의 현금	XXX

2023년에 100원의 매출이 발생하였는데 매출대금은 2024년에 회수된다고 가정해보자. 아래 그림에서 알 수 있듯이, 손익계산서 매출은 2023년에 발생하지만 매출로 인한 현금흐름은 2023년이 아닌 2024년에 증가한다. 이처럼 현금흐름표는 정보이용자에게 현금흐름 관점에서 유용한 정보를 제공한다.

구분	2023년	2024년
손익계산서	(+)100	−
현금흐름표	−	(+)100

주석

앞서 설명한 재무상태표, 손익계산서, 자본변동표, 현금흐름표가 숫자로 계량화된 정보만을 보여줬다면, 주석은 앞선 네 가지 재무제표에서 표시하는 정보에 추가적으로 제공된 계량적 혹은 비계량적 정보를 의미한다. 재무제표의 작성 근거가 되는 회계정책, 기업회계기준서에서 요구하는 추가정보, 재무제표를 이해하는데 유용한 추가정보로 구성되어 있다. 주석은 재무상태표, 손익계산서, 자본변동표, 현금흐름표를 부연 설명하는 역할을 하기 때문에 재무제표 중 가장 뒷부분에 기재된다. 금융감독원 전자공시시스템(https://dart.fss.or.kr/)에서 기업의 감사보고서를 조회하면 맨 마지막에 주석이 기재되어 있는 것을 확인할 수 있다.

아래는 실제 회사의 주석이다. 유형자산 주석을 통해 유형자산의 취득, 처분, 감가상각비 등 유형자산에 대한 세부정보를 알 수 있다.

(1) 유형자산의 변동

(단위 : 천원)

당기	기초	취득	대체	감가상각비	당기말
토지	54,797	–	–	–	54,797
건물	311,644	–	–	(29,532)	282,112
구축물	–	–	19,828	(247)	19,581
차량운반구	19,727	159,764	–	(10,060)	169,431
공기구비품	92,980	151,201	–	(31,886)	212,294
건설중인자산	765,370	2,239,682	(1,450,459)	–	1,554,593
합계	1,244,518	2,550,647	(1,430,631)	(71,725)	2,292,809

(출처 : 주식회사 에코프로 2022년 감사보고서, 금융감독원 전자공시시스템)

또한 우발부채 및 약정사항 주석은 소송사건과 같은 우발부채의 발생 가능성, 담보제공자산, 지급보증 내역 등 정보이용자의 의사결정에 필요한 유용한 정보를 제공한다.

(2) 우발상황 및 약정사항

특수관계자를 제외한 타인으로부터 제공받은 지급 보증

(단위 : 천원, USD)

제공자	종류	보증금액
서울보증보험	이행계약 등	1,701,208
신한은행	외화지급보증	USD 25,000,000

금융기관과의 약정사항

(단위 : 천원, USD)

구분	금융기관	약정한도	실행금액
일반대출	국민은행	10,000,000	10,000,000
일반대출	신한은행	9,000,000	9,000,000
통화스왑	신한은행	USD 25,000,000	USD 25,000,000
일반대출	한국증권금융	70,000,000	70,000,000

(출처 : 주식회사 에코프로 2022년 감사보고서, 금융감독원 전자공시시스템)

3. 재무제표의 구성요소

스타트업 S사의 대표 K씨는 경영성과 관리를 위해 재무제표를 살펴봤다. 하지만 회계를 배운 적이 없던 K씨는 재무제표에 등장하는 자산, 부채, 자본, 수익, 비용 등이 정확히 어떤 것을 의미하는지 궁금해졌다.

재무제표의 구성요소는 기업의 재무상태를 측정하는 자산, 부채, 자본과 기업의 경영성과를 측정하는 수익, 비용 크게 두 가지로 분류된다. 재무상태인 자산, 부채, 자본과 경영성과인 수익, 비용은 서로 동떨어진 개념이 아니라 상호 영향을 미치는 유기적인 관계이다.

〈그림 : 재무제표의 구성요소〉

재무상태	경영성과
자산	수익
부채	비용
자본	

재무상태

1) 자산

자산은 과거 사건의 결과로 기업이 통제하고 있고 미래의 경제적 효익을 창출할 것으로 기대하는 자원이다. 미래의 경제적 효익은 기업의 미래 현금흐름 창출에 직접 또는 간접적으로 기여하게 될 잠재력을 의미한다. 기업이 화물차를 구매했다고 가정해보자. '화물차 구입'이라는 과거 사건의 결과로 인해 기업은 화물차를 통제하며, 화물차는 매출활동의 일부인 '제품 운송'을 수행하여 미래의 현금흐름 창출에 직간접적으로 기여하게 된다. 자산에는 화물차처럼 형태가 있는 유형의 자산뿐만 아니라 소프트웨어, 상표권 등 무형의 자산도 포함된다. 요약하면, 자산이란 기업이 통제하여 갖고 있는 모든 것이다.

2) 부채

부채는 과거 사건의 결과로 기업의 경제적 효익을 갖는 자원이 유출될 것으로 예상하는 의무를 말한다. 쉽게 설명하면, 회계법인에게 회계기장 서비스를 제공받은 기업은 회계기장 서비스라는 과거 사건의 결과로 인해 회계법인에게 서비스 대가를 현금으로 지급해야 할 의무가 발생한다. 즉, 부채는 타인에게 귀속될 항목이므로 타인자본이라고 부르기도 한다.

3) 자본

자본은 기업의 자산에서 부채를 차감한 나머지를 의미한다. '자산 = 부채 + 자본'이라는 항등식을 변형하면 '자산 - 부채 = 자본'이라는 것을 알 수 있다.

실생활에서도 자본의 개념이 등장한다. 서울의 아파트를 10억 원에 구입하였는데, 보유현금이 4억 원밖에 되지 않아 은행에서 6억 원 대출받은 상황을 자산, 부채, 자본으로 나타내면 아래와 같다.

재무상태표	
자산 아파트 10억	부채 대출 6억
	자본 자기자본 4억

위 사례에서 자본은 10억에서 타인에게 빌린 6억 원을 제외한 순수 보유자금 4억 원을 의미한다. 이처럼 자본은 기업의 소유주인 주주에게 전적으로 귀속되는 항목이므로 자기자본이라고 부르기도 한다.

경영성과

1) 수익

수익은 자산의 증가 또는 부채의 감소로서 자본의 증가를 가져오는 요소이다. 100원의 매출(수익)이 발생하였다면, 100원의 현금(자산)이 증가함으로써 최종적으로 100원의 이익잉여금(자본)이 증가하는 것이 수익의 예시다.

2) 비용

비용은 자산의 감소 또는 부채의 증가로서 자본의 감소를 가져오는 요소이다. 100원의 지급수수료(비용)가 발생하였을 때, 100원의 미지급금(부채)이 증가함으로써 최종적으로 100원의 이익잉여금(자본)이 감소하는 것이 비용의 예시이다.

〈그림 : 수익과 비용〉

수익		비용	
자산 ↑	자본 ↑	자산 ↓	자본 ↓
부채 ↓	자본 ↑	부채 ↑	자본 ↓

4. 재무제표 이해를 돕는
   유용한 회계자료

스타트업 O사의 손익계산서상 2022년 총매출은 10억 원이다. O사의 대표
이사는 회계 장부를 활용해 10억 원의 세부 매출내역을 확인하기 위해서
는 어떤 자료를 봐야 하는지 궁금하다.

    스타트업의 경제활동을 모아놓은 회계자료의 종류는 다양하다. 재무
상태표, 손익계산서와 같은 재무제표를 제외한 나머지 회계자료에도 경
영자에게 유용한 정보가 많지만 이를 적극적으로 활용하고 있는 경우는
드물다. 재무제표 외에 경영자의 재무제표 이해를 돕는 유용한 회계자료
두 가지를 소개하면 다음과 같다.

분개장

일자	전표번호	구분	코드	계정과목	차변	대변	거래처	적요
2021-04-30	50046	차변	51100	복리후생비 (제)	1,000,000		○○○주식회사	21년 04월 A회사 중식
2021-04-30	50046	대변	25300	미지급금		1,000,000	○○법인카드	식대

첫 번째는 모든 거래내용을 발생한 순서대로 분개하여 기재한 장부인 분개장이다. 위 그림은 실제 회계프로그램에서 내려받은 분개장 중 일부를 발췌한 것이다. 구성항목에 관해 설명하면 다음과 같다.

1) 일자 : 회계적 거래가 발생한 날짜

2) 전표번호 : 회계적 거래가 발생한 날짜에 입력한 분개의 번호

3) 구분 : 차변과 대변을 의미

4) 코드 : 회계 프로그램상 계정과목 코드

5) 계정과목 : 회계적으로 인식한 거래를 장부상에 기록할 때 사용하는 항목

6) 차변, 대변 : 회계적 거래의 금액적인 크기

7) 거래처 : 회계적 거래가 이뤄진 상대방

8) 적요 : 회계적 거래의 세부 내용

위 분개는 A회사는 2021년 4월 30일에 ○○○ 주식회사라는 거래처에 중식대로 1,000,000원을 지출하였으며, 결제방법은 ○○법인카드 그리고 지출항목은 복리후생비라는 계정과목으로 회계장부에 기록했다는 의미로 해석할 수 있다.

일반적으로 초기 스타트업은 회계법인과 같은 외부 세무대리인을 통해 장부를 작성하기 때문에 장부를 작성하는 세무대리인에게 요청하면 분개장을 열람할 수 있다. 분개장을 통해 재무제표가 제대로 작성되고 있는지, 재무제표의 세부내역이 어떻게 구성되어 있는지 확인할 수 있다.

거래처원장

거래처 원장 (잔액)

2020. 01. 01 ~ 2020. 12. 31

회사명 : (주) A 회사   계정과목 : [103] 보통예금

코드	거래처명	전기(월)이월	차변	대변	잔액
98000	B은행[11111-111-1111]	100,000	200,000	100,000	200,000
98001	C은행[22222-222-2222]		500,000	300,000	200,000
98002	D은행[33333-333-3333]		1,000,000		1,000,000
	[합 계]	100,000	1,700,000	400,000	1,400,000

두 번째는 재무제표 계정과목의 상세 거래내용을 거래처별로 정리함으로써 계정과목의 거래처별 증감 및 잔액을 확인할 수 있는 거래처 원장이다. 거래처 원장의 구성항목에 관해 설명하면 다음과 같다.

1) 계정과목 : 거래처 원장에서 조회할 계정과목

2) 코드 : 회계 프로그램상 등록한 거래처 코드

3) 거래처명 : 조회한 계정과목에서 발생한 거래처명

4) 전기(월)이월 : 조회 기간의 기초시점 금액(위 그림에서 2019.12.31)

5) 차변, 대변 : 해당 계정과목의 차변 혹은 대변으로 기록된 금액

6) 잔액 : 조회 기간의 기말시점 금액(위 그림에서 2020.12.31)

위 거래처원장은 2020.01.01의 기초시점인 2019.12.31 기준 B은행 보통예금 잔액이 100,000원이며, 2020년 중 B, C, D은행의 보통예금 차변(보통예금의 증가)에 기록된 금액이 1,700,000원, 대변(보통예금의 감소)이 400,000원이라는 의미로 해석된다.

거래처원장은 '전기이월(조회 기간 초) + 차변 금액 - 대변 금액 = 잔액(조

회 기간 말)'을 보여주므로, 100,000 + 1,700,000 - 400,000 = 1,400,000 즉, 2020.12.31 기준 1,400,000원이 A회사의 보통예금 잔액이다. 그리고 1,400,000원은 B은행 200,000원, C은행 200,000원, D은행 1,000,000원으로 구성되어 있다는 걸 확인할 수 있다. 참고로 자산과 달리 부채, 자본, 수익의 거래처원장은 자산과 달리 '전기이월(조회 기간 초) - 차변 금액 + 대변 금액 = 잔액(조회 기간 말)'로 부호를 반대로 바꿔서 해석해야 한다.

이처럼 거래처 원장을 통해 재무제표 계정과목 금액의 증감과 잔액이 어떤 거래처로 구성되어 있는지 확인할 수 있다. 만약 거래처 원장에 모르는 거래처가 기재되어 있거나 거래처별 금액이 회사가 파악한 금액과 다르다면 잘못된 내용이 있는지 확인할 필요가 있다.

Lesson3

스타트업 경영자가 주의해야 할 회계

1. 현금장부

소프트웨어 개발을 하는 L사는 투자자에게 Seed 투자를 위한 여러 자료를 제출했다. 며칠 뒤 회계관리 미비로 투자할 수 없다는 답변을 들은 L사의 대표이사 K씨는 제출한 회계자료를 살펴보았다. K씨는 재무제표에서 이상한 점을 발견했다. 재무상태표 현금이라는 계정과목에 2,000만 원이 있었던 것이다. L사는 현금을 전혀 갖고 있지 않음에도 불구하고 재무상태표에 현금 2,000만 원이 생긴 이유가 궁금하다.

요즘은 금융과 관련된 거의 모든 것이 전산화됨에 따라, 사업의 특성상 반드시 현금 보유가 필요한 일부 회사를 제외하면 대부분 회사가 현금을 보유하지 않는다. 여기서 의미하는 현금은 은행계좌에 있는 예금이 아니라 동전, 지폐, 수표와 같은 실제 현금을 의미한다.

하지만 외부기장을 맡긴 회사의 재무제표에서는 간혹 원인 모를 현금이 발견되곤 한다. 창업초기 회사뿐만 아니라 업력이 20년이 넘는 오래된 회사의 재무제표에서도 마찬가지다. 내 회사 재무제표에 원인 모를 현금이 있다면 혹시나 현금장부 작성 여부를 확인해봐야 한다.

현금장부란?

　현금장부는 정식으로 통용되는 단어는 아니다. 다만, 이 책에서는 독자들의 이해를 돕기 위해 현금장부를 현금 계정과목의 잘못된 활용으로 회계관리가 엉망이 된 장부로 정의하려고 한다. 장부를 작성하기 위해선 복식부기 원리에 따라 차변(좌측)과 대변(우측)에 알맞은 계정과목을 입력해야 한다. 하지만 현금장부를 쓰게 되면 적절한 계정과목 대신 현금이라는 계정과목을 입력한다. 예를 들어 복리후생비로 100원이 발생한 경우 정상적인 회계처리와 현금장부 회계처리는 다음과 같다.

〈그림 : 현금장부 회계처리〉

차변		대변	
정상적인 회계처리			
복리후생비	100	미지급금	100
현금장부 회계처리			
복리후생비	100	현금	100

　정상적인 회계처리에서는 복리후생비의 상대 계정과목으로 미지급금을 입력해야 하지만, 현금장부를 쓰게 되면 미지급금 대신에 현금을 입력한다.

　결과적으로 정상적으로 회계처리를 했더라면 부채계정인 미지급금은 100원이 남아있어야 하지만, 현금장부를 쓰게 되면 자산계정인 현금에서 100원이 차감 처리된다.

구분	정상적인 회계처리	현금장부
재무상태표		
현금	–	(100)
미지급금	100	–
손익계산서		
복리후생비	100	100

　이처럼 장부를 작성할 때 모든 회계처리에 현금이 들어가는 장부작성 방식이 바로 현금장부이다.

현금장부의 원인

　현금장부 작성은 주로 외부기장을 맡기는 경우에 발생하며, 발생 원인은 다음과 같다.

　첫째, 외부기장을 맡긴 세무대리인의 업무가 과다하기 때문이다. 회계법인, 세무법인, 세무사무소 등에서 일하는 회계담당자 한 명당 맡게 되는 고객사 수는 적게는 20개 많게는 100개에 달할 정도로 다양하다. 한 직원이 여러 고객사의 회계업무를 맡다 보니 빠르게 업무를 처리하기 위해 불가피하게 현금장부를 쓰는 경우가 있다. 현금장부를 쓰면 적절한 계정과목을 선택할 필요 없이 기계적으로 현금만 입력한 뒤, 재무제표 결산시기에 현금잔액을 적당한 계정과목으로 분산시키면 되기 때문에 담당 직원 입장에서는 매우 간편하다.

　둘째, 회사의 관리감독이 없기 때문이다. 일반적으로 회사가 현금장부를 쓰고 있다는 걸 알아차린 시점은 세무대리인에게 장부를 맡긴 지 몇 년이 지난 경우가 많다. 회계에 조금만 관심을 기울였다면 충분히 알아차릴 수 있는 사항이지만, 현금장부라는 개념이 많이 알려지지 않았고 회계 전문가가 아닌 사업주가 관리 감독하는 것은 쉽지 않았을 것이다. 사업주가 회계에 대해서 관심이 없다고 하더라도 주기적으로 회사의 재무제표가 제대로 기록되고 있는지 관심있게 살펴봐야 한다.

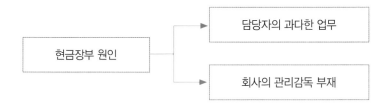

현금장부 문제점

현금장부를 쓰면 다음과 같은 문제점이 있다.

첫째, 재무제표 금액이 정확하지 않게 된다. 현금장부를 쓰게 되면 모든 거래의 상대 계정과목에 현금을 입력한 뒤, 재무제표 결산시점인 연말에 억지로 총잔액만 맞추기 때문이다. 특히, 장부상 채권(받아야 할 금액), 채무(줘야 할 금액) 금액을 신뢰할 수 없을 뿐더러 누구에게 얼마를 줘야 하고 받아야 하는지 거래처별 금액도 전혀 파악할 수 없게 된다.

둘째, 회계자료를 신뢰할 수 없게 된다. 현금장부를 쓴다는 건 재무제표가 만들어지는 과정부터 잘못되었다는 걸 의미하기 때문에, 재무제표 뿐만 아니라 분개장, 거래처 원장, 계정잔액명세서 등 모든 회계자료를 신뢰할 수 없는 상황에 처하게 된다. 신뢰할 수 없는 재무제표 때문에 투자유치에 실패하는 경우도 있으니 주의해야 한다.

셋째, 세무 리스크가 높아진다. 현금장부를 쓰게 되면 적절한 계정과목을 사용하지 않았으므로 발생 원인이 불분명한 금액이 누적되는 경우가 많다. 이 경우 세무조사를 받았을 때 가지급금 등으로 오해받아 세무상 불이익을 받을 수 있다. 실제로 수년간 현금장부를 써왔던 사실을 몰랐던 ○○스타트업이 세무조사 때 누적된 수억 원 가량의 원인 모를 현금 때문에 수천만 원의 세금을 납부한 경우가 있었다.

〈그림 : 현금장부의 문제점〉

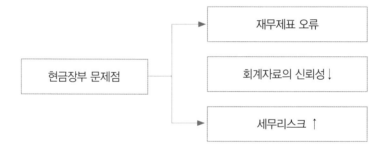

현금장부 작성을 예방하려면?

현금장부를 막기 위해선 회사 특히 경영자의 꾸준한 관심이 필요하다. 만약, 현금장부를 써왔던 사실을 뒤늦게 알게 되었다면 안타깝지만 회계자료를 처음부터 다시 작성하는 방법밖에 없다. 장부를 처음부터 재작성하는 것은 많은 시간과 비용이 소요되므로 애초에 현금장부를 쓰지 않도록 예방하는 것이 중요하다.

2. 가지급금

벤처캐피탈로부터 투자유치를 준비하고 있는 바이오 스타트업 P사의 대표이사 J씨는 P사의 지분을 100% 보유하고 있다. 어느 날 개인 사정으로 3억 원이 급하게 필요했던 J씨는 P사의 예금계좌에서 3억 원을 인출하였다. 시간이 흐른 뒤 P사는 투자유치를 위해 재무실사를 진행하였고, 실사담당 회계법인으로부터 가지급금 3억 원이 무엇이냐는 이야기를 들었다.

법인(회사)은 자연인(사람)은 아니지만, 인격을 인정받은 권리·의무의 주체이므로 별개의 인격체인 회사의 자금을 회사의 대표이사가 마음대로 인출해선 안 된다. 하지만 일부 회사는 '회사 돈이 내 돈'이라고 생각하여 회사 자금을 지극히 개인적인 용도로 사용하기도 한다.

P사와 같이 회사 통장에서 지출이 발생했는데 해당 내용이 회사 업무와 무관하거나 원인이 소명되지 않는 경우 가지급금이란 임시계정으로 처리된다. 가지급금의 발생 원인은 여러 가지가 있지만, 일반적으로 실제 현금지출이 발생했는데 그 거래내역이 불분명해 계정과목이 확정되지 않았거나 특수관계자에게 법인의 업무와 관련 없이 자금을 대여함으

로써 발생하는 경우가 많다. 스타트업의 경우 세무대리인에게 장부기장을 위임한 상태에서 회사와 세무대리인 모두 회계관리를 등한시해 발생하는 때도 있다. 이와 같은 가지급금을 방치해선 안 되는 이유를 알아보면 다음과 같다.

〈그림 : 가지급금의 발생〉

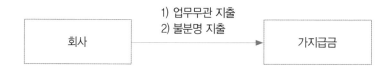

가지급금을 방치하면 안 되는 이유

1) 자금조달(투자유치, 대출 등)

가지급금은 자금조달에 좋지 않은 영향을 준다. 스타트업은 자금조달을 위해 금융기관, 벤처캐피탈 등 외부기관에 재무제표를 제출하는 경우가 많은데, P사와 같이 회사 재무제표에 원인이 불분명한 가지급금이 있는 경우 정상적인 자금거래인지 의심받을 수 있고 사용내역이 명확하게 소명되지 않으면 대출 및 투자의사 결정에 부정적 영향을 미치게 된다. 외부기관 입장에서는 대출금, 투자금이 법인의 업무와 무관하게 사용될 위험이 존재하기 때문이다. 또한, 가지급금의 회수가능성이 낮다고 판단되면 가지급금이 자산이 아닌 비용으로 분류되어 재무구조에 악영향을 미치기도 한다.

2) 외부 회계감사

외부 회계감사를 이미 수감 중이거나 수감 예정인 회사에도 좋지 않다. 대표이사 가지급금은 회사 업무와 무관하게 대부분 사적 용도로 사용되므로, 회계법인 입장에서는 가지급금이 많은 경우 대표이사가 법인을 사적 용도로 활용하고 있을지 모른다고 판단하여 더 많은 자료를 요구하기도 한다. 별로 신경 쓰지 않고 있던 가지급금 때문에 외부감사 대응이 힘들어지고, 제대로 소명되지 않으면 극단적으로 감사의견 변형이라는 결과가 나올 가능성도 배제할 수 없다.

3) 세무 리스크

법인세법에서는 특수관계자에 대한 업무무관가지급금에 제재를 가한다. 만약 회사가 수취하는 가지급금 이자가 세법에서 정한 이자율보다 작거나 무이자인 경우, 인정이자율(일반적으로 당좌대출이자율인 연 4.6%를 적용[9])을 기준으로 이자를 계산하여 자금을 대여한 회사와 차입한 특수관계자 모두에게 소득으로 처분한다[10]. 설사 양 당사자가 무이자로 협의하여 금전대차계약서를 작성했을지라도 세법상 제재는 피할 수 없다.

법인세법상 차입금이자는 손금으로 인정된다. 하지만 차입금을 가지급금처럼 업무에 무관하게 활용하는 것을 규제하기 위해 법인이 업무

---

9) 법인세법 시행규칙 제43조
10) 법인세법 시행령 제88조

69

무관가지급금을 보유하고 있는 경우 이에 상당하는 차입금에 대한 이자 비용을 당해 사업연도의 손금에 포함하지 않도록 하고 있다[11]. 이것은 법인세법의 지급이자 손금불산입 조항으로 가지급금이 있으면 법인의 차입금이자 중 가지급금에 해당하는 부분을 손금으로 인정하지 않겠다는 것이다.

간혹 위와 같은 세무 제재를 피하려고 법인 청산을 고민하기도 하는데, 법인을 청산하게 되면 더 큰 문제가 생길 수 있다. 청산 시 남아있는 가지급금은 회수를 포기한 것으로 보아 가지급금 귀속자에게 상여로 소득처분이 될 수 있으므로 각별히 유의해야 한다.

〈그림 : 가지급금의 문제점〉

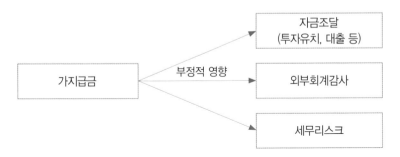

가지급금 정리 방안

그럼 가지급금의 정리 방법에는 무엇이 있을까? 다양한 방법이 있지만 가장 쉽고 간편한 방법은 현금을 입금하는 것이다. 3억 원을 찾아갔

---

11) 법인세법 제28조

다면 3억 원을 입금하면 된다. 하지만 가지급금이 생긴 원인을 생각해보면 상환 여력이 없을 가능성이 크다. 이럴 때 대표이사 개인 자산 처분, 급여 인상, 상여금 지급, 퇴직금 지급, 배당 지급, 특허권 양도, 자기주식 취득 등이 가지급금의 해결 방법으로 널리 알려져 있지만, 이와 같은 방법을 이용하려면 굉장히 신중해야 한다. 각각의 방법 모두 위험이 내재되어 있기 때문이다. 예를 들어 급여 인상을 하게 되면 소득세, 4대보험료가 증가하고, 대표이사가 보유한 특허권, 부동산 등을 법인에 매각한다면 그 거래가격이 적정 수준을 벗어날 때 세무 제재가 가해지는 경우가 있기 때문이다.

〈그림 : 가지급금 정리 방안〉

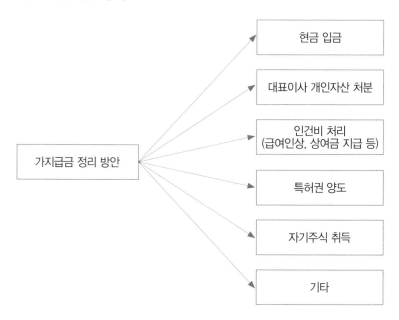

다행히 스타트업은 원인 불분명 가지급금이 있다 하더라도 금액이 크지 않고 원인 파악도 어렵지 않은 경우가 대부분이므로 쉽게 정리할 수 있다. 하지만 시간이 지나 가지급금이 누적되면 정리하는 절차가 만만치 않으므로, 재무제표를 철저하게 관리하여 가지급금과 마주치지 않도록 해야 한다.

3. 개발비

> 사례
>
> 당뇨병 치료제를 개발중인 S사의 대표이사 H씨는 동료로부터 연구과정에서 발생한 연구비, 재료비, 인건비 등 연구개발비를 손익계산서의 비용으로 처리하지 않고 개발비라는 무형자산으로 분류할 수 있다는 이야기를 들었다. 과연 H씨는 연구개발비를 무형자산으로 처리해도 되는 걸까?

스타트업은 수익을 창출할 수 있는 새로운 제품과 서비스를 만들기 위해 끊임없이 노력한다. 그 과정에서 발생한 비용을 연구개발비라고 한다. 기업회계기준(한국채택국제회계기준 및 일반기업회계기준)에서는 무형자산을 물리적 실체가 없지만 개별적으로 식별이 가능한 자산으로 정의하고 있는데, 연구개발과정에서 발생한 연구개발비 역시 기업회계기준에서 정한 요건을 만족하면 비용(손익)이 아닌 개발비(자산)로 처리할 수 있다.

개발비(자산)로 처리하기 위한 조건

기업회계기준에서의 연구개발비 자산화 요건은 꽤나 까다로운 편이다. 회계기준이 요구하는 연구개발비의 자산화 프로세스를 단계별로 나누면 아래와 같고, 연구개발비를 자산화하는 것이 결코 쉽지 않다는 것을 알 수 있다.

〈그림 : 개발비 자산화 프로세스〉

개발비 자산화 프로세스	
1단계	연구개발 프로젝트를 연구단계와 개발단계 지출(*1)로 구분
2단계	개발단계에서 발생하는 지출 중에서 기업회계기준서에서 요구하는 조건 (*2)을 모두 충족하는 경우에만 무형자산으로 인식 가능

(*1) 연구단계와 개발단계로 구분할 수 없는 경우에는 그 프로젝트에서 발생한 지출은 모두 연구단계에서 발생한 것으로 봄.
(*2) 일반기업회계기준을 적용한다고 가정할 때, 일반기업회계기준 제11장 [무형자산] 11.20 문단을 적용.

[1단계] 개발단계에서 발생한 지출이어야 한다

우선 연구단계에서 발생한 지출인지 개발단계에서 발생한 지출인지 구분해야 한다. 내부 프로젝트의 연구단계에서는 미래경제적효익을 창출할 무형자산이 존재한다는 것을 제시할 수 없기 때문에, 연구단계에서 발생한 지출은 발생시점에 비용으로 처리해야 한다. 연구단계 활동은 새로운 지식을 얻고자 하는 활동으로 어떤 프로젝트를 연구할지 탐색하는 활동이라고 보면 된다.

기업회계기준은 연구단계보다 훨씬 더 진전되어 있는 상태인 개발단계에서 발생한 지출만을 무형자산으로 처리할 수 있다고 규정하고 있다. 기준서에서 예시로 든 개발활동은 다음과 같다. 개발단계 활동은 프로젝트의 탐색이 아닌 설계, 제작, 시험 활동이라고 보면 된다.

〈개발단계의 예시〉
한국채택국제회계기준 제1038호 무형자산 문단 59
(1) 생산이나 사용 전의 시제품과 모형을 설계, 제작, 시험하는 활동
(2) 새로운 기술과 관련된 공구, 지그, 주형, 금형 등을 설계하는 활동
(3) 상업적 생산 목적으로 실현가능한 경제적 규모가 아닌 시험공장을 설계, 건설, 가동하는 활동
(4) 신규 또는 개선된 재료, 장치, 제품, 공정, 시스템이나 용역에 대하여 최종적으로 선정된 안을 설계, 제작, 시험하는 활동

[2단계] 기업회계기준서에서 요구하는 조건을 모두 충족해야 한다.

개발단계에서 지출한 비용 중 다음 조건을 모두 만족해야만 무형자산으로 처리할 수 있다.

〈개발단계에서 지출한 비용 중 무형자산 인식을 위한 요건〉
한국채택국제회계기준 제1038호 무형자산 문단 57
(1) 무형자산을 사용하거나 판매하기 위해 그 자산을 완성할 수 있는 기술적 실현가능성
(2) 무형자산을 완성하여 사용하거나 판매하려는 기업의 의도
(3) 무형자산을 사용하거나 판매할 수 있는 기업의 능력
(4) 무형자산이 미래경제적효익을 창출하는 방법. 그중에서도 특히 무형자산의 산출물이나 무형자산 자체를 거래하는 시장이 존재함을 제시할 수 있거나 또는 무형자산을 내부적으로 사용할 것이라면 그 유용성을 제시할 수 있다.
(5) 무형자산의 개발을 완료하고 그것을 판매하거나 사용하는데 필요한 기술적, 재정적 자원 등의 입수가능성
(6) 개발과정에서 발생한 무형자산 관련 지출을 신뢰성 있게 측정할 수 있는 기업의 능력

확실하게 하기 위해선 (1)~(6) 각각의 조건을 검토 후, 모두 문서화하는 작업이 필요하다.

개발비 회계처리

회계에서는 수익-비용 대응원칙에 따라, 자산의 효익창출 시점과 자산의 구매를 위해 지출한 금액이 비용화되는 시점을 일치시켜야 하는데, 무형자산도 수익-비용 대응원칙의 예외는 아니다. 무형자산인 개발비의 효익창출은 미래 매출 발생이다. 따라서 수익-비용 대응원칙에 따라 개발비는 미래 매출이 발생하는 기간에 걸쳐 비용으로 분류된다. 이때 개발비는 '무형자산상각비'라는 계정과목으로 회계처리 한다.

[그림] 개발비(2023년 40원, 2024년 60원 지출, 2025~2029년 5년 동안 매출 발생 가정)

구분	개발비 지출 (100원)		미래 매출 발생[효익창출] (5년 가정)				
	2023년	2024년	2025년	2026년	2027년	2028년	2029년
당기비용 (자산화 X)	40	60	–	–	–	–	–
무형자산 (자산화 O)	–	–	20	20	20	20	20

또한 무형자산상각비 인식과는 별개로 매년 개발비의 자산성에 대한 손상검토를 수행해야 한다. 미래 매출이 발생할 것으로 예상되어 무형자산으로 처리했지만, 예상과 달리 매출이 발생하지 않거나 발생금액이 미미하였다면 '무형자산손상차손'이라는 계정과목으로 비용처리해야 한다.

개발비(무형자산)가 많이 보이는 이유

연구개발비를 개발비로 처리하기가 굉장히 까다로움에도 불구하고, 많은 초기 스타트업의 재무제표에서 무형자산으로 처리된 개발비를 자주 볼 수 있다. 자산화 요건을 만족하지 않음에도 불구하고 자산으로 처리하는 이유를 실무적 관점에서 분석해보면 다음과 같다.

대부분의 초기 스타트업은 매출이 미미하거나 아예 발생하지 않는다. 안정적으로 매출이 발생하기 전까지는 사업체를 유지하기 위해 유상증자, 대출, 지원금 등을 통한 외부자금 조달이 필요하다. 가장 흔한 자금 조달방법은 정부지원 사업을 통해 정부지원금을 받는 것이다. 하지만 모든 스타트업이 정부지원금 대상에 해당되지는 않는다. 정부지원 사업을 신청하기 위해선 자본잠식이 아니며 부채비율이 일정한 비율 이하일 것을 요구하는 경우가 있기 때문이다.

여기서 말하는 자본잠식이란, 회사가 결손금 누적으로 이익잉여금 등이 (-)음수가 되어 자본총계가 자본금보다 작은 상태이다. 자본잠식의 종류는 두 가지가 있는데, 자본총계가 (-)음수가 되는 경우 '완전자본잠식', 자본총계가 자본금보다 작지만 (-)음수가 아니면 '부분자본잠식'이라고 한다. 부채비율은 부채총계를 자본총계로 나눈 값이다.

대부분의 정부지원 사업은 자본잠식이 아니면서 부채비율이 1000% 미만인 기업을 대상으로 한다. 물론 창업 3년 미만의 중소기업 등과 같이 몇 가지 예외적인 경우 자본잠식, 부채비율 요건이 필요없지만 일반적으로는 자본잠식, 부채비율 요건을 충족해야 한다.

일반적으로 초기 스타트업은 수익 없이 비용만 발생하기 때문에 결손금이 누적되고 자본잠식 상태에 이르게 되는 경우가 많다. 이때 많은 스타트업이 자본잠식을 막기 위한 방법으로 개발비(무형자산)를 이용한다. 정부지원금 외에도 손실을 줄여 금융기관 대출조건을 유리하게 만들기 위해 개발비를 이용하기도 한다. 하지만 자산성이 없는 개발비는 폭탄으로 돌아올 수 있으니 주의해야 한다.

〈그림 : 스타트업의 개발비 회계처리 원인〉

자산성이 없는 개발비의 문제점

실무적으로 자산성을 갖추지 못한 개발비가 주로 문제가 되는 시점은 〈주식회사 등의 외부감사에 관한 법률〉에 따라 회계법인으로부터 외부회계감사를 수감하게 되거나 외부자금 조달을 위해 투자자가 회계자료를 요구하는 시점이다. 그 이전까지는 대부분 연구개발비를 자산화하든 비용화하든 당장 큰 문제로 드러나지 않는다. 하지만 회사 자산에서 개발비가 차지하는 비중이 크다면 개발비의 자산성을 미리 검토해 볼 필요가 있다. 투자유치 과정에서 개발비가 자산으로 인정받지 못해 '경상연구개발비'로 비용으로 처리되거나, 과거에는 개발비 요건을 만족했지만 현재 기준으로 자산성이 없어 '무형자산손상차손'으로 비용 처리될 수 있기 때문이다. 누적되었던 개발비가 일시에 비용처리되면, 손익이 악화되고 자산가치도 낮아지므로 주의해야 한다.

〈그림 : 자산성 없는 개발비의 문제점〉

4. 지분출자

SEED 투자를 앞두고 있는 스타트업 L사는 최근 벤처캐피탈과 SEED 투자 계약을 체결했다. 투자는 신주발행으로 진행되며, 전환우선주 5억 원이 발행될 예정이다. L사의 대표이사는 난생 처음보는 전환우선주가 무엇인지 그리고 회계적으로는 어떤 영향을 미칠지 궁금하다.

　지분출자는 투자자가 신주인수를 통해 회사의 주주가 되는 투자 방식이며, 지분투자라고 불리기도 한다. 상법에서는 지분출자 시 주식의 발행 형태를 보통주식과 종류주식으로 구분하고 있다.

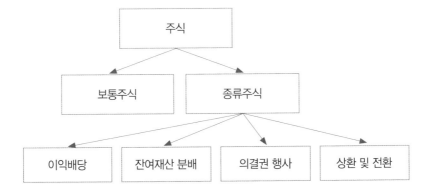

(1) 보통주식

(2) 종류주식 : 전환우선주, 상환우선주, 전환상환우선주 등

- 이익의 배당에 관하여 내용이 다른 종류주식
- 잔여재산의 분배에 관하여 내용이 다른 종류주식
- 주주총회에서의 의결권의 행사에 관하여 내용이 다른 종류주식
- 상환 및 전환에 관하여 내용이 다른 종류주식

흔히 말하는 전환우선주, 상환우선주, 전환상환우선주 등은 보통주식이 아닌 종류주식이며, 같은 종류주식일지라도 계약 내용에 따라 권리행사 가능 범위가 달라진다. 대부분의 투자자는 유사시 상환을 요구할 수 있는 상환청구권 등 특별한 권리를 행사할 수 있는 종류주식 형태로 투자하길 원한다. 종류주식만의 특수한 계약조건은 위험을 안고 투자하는 투자자에게 안전장치 역할을 하기 때문이다.

지분출자의 회계처리

지분출자의 회계처리는 어떻게 해야 하며, 재무제표에는 어떤 영향을 미칠까? 사례를 통해 알아보자.

발행주식총수가 100주, 1주당 액면가액 100원이며, 신규 지분발행 시 1주당 발행금액은 300원, 신규 발행주식수는 10주 그리고 발행되는 주식은 모두 전환상환우선주(RCPS)라고 가정하자. 투자 전, 투자 후 재무상태표는 다음과 같다.

구분 (단위:원)	투자 전 2022.12.31	3,000원 지분출자 시 (신규 발행주식수 10주)	투자 후 2022.12.31
자산			
I. 유동자산	40,000	3,000	43,000
현금및현금성자산	40,000	3,000	43,000
II. 비유동자산	5,000	–	5,000
자산총계	45,000	3,000	48,000
부채			
I. 유동부채	10,000	–	10,000
II. 비유동부채	10,000	–	10,000
부채총계	20,000	–	20,000
자본			
I. 자본금	10,000	1,000	11,000
보통주자본금	10,000	–	10,000
우선주자본금	–	1,000	1,000
II. 자본잉여금	–	2,000	2,000
주식발행초과금	–	2,000	2,000
III. 이익잉여금	15,000	–	15,000
자본총계	25,000	3,000	28,000
부채 및 자본총계	45,000	3,000	48,000

신주 발행 시 액면금액 해당분은 자본금, 발행금액 중 액면금액 초과분은 주식발행초과금으로 처리한다. 만약 1주당 발행금액과 액면금액이 같다면 자본금만 증가하게 된다. 지분출자 회계처리를 살펴보면 다음과 같다. 보통주를 투자받을 경우 우선주자본금 대신에 보통주자본금으로 처리하면 된다.

차변	금액(원)	대변	금액(원)
현금및현금성자산	3,000 (*1)	우선주자본금	1,000 (*2)
		주식발행초과금	2,000 (*3)

(*1) 3,000 = 300원(1주당 발행가액) X 10주(신규 발행주식수)
(*2) 1,000 = 100원(1주당 액면가액) X 10주(신규 발행주식수)
(*3) 2,000 = 200원(1주당 발행가액 − 1주당 액면가액) X 10주(신규 발행주식수)

지분출자의 세금

투자를 받으면 세금이 부과되는 것으로 알고 있는 경우가 있는데, 결론부터 말하면 투자받은 회사 입장에서는 세금이 부과되지 않는다. 물론 증가하는 자본금에 대하여 등록면허세[12] 및 지방교육세[13]라는 세금은 부과되지만 여기서 세금이 부과되지 않는다는 말은 법인세가 부과되지 않는다는 것이다. 투자금은 손익계산서상 수익 항목이 아니라 재무상태표의 자본 항목이므로 법인의 소득에 해당되지 않아 법인세가 부과되지 않는다.

---

12) 등록면허세 : 납입한 주식금액이나 출자금액 또는 현금 외의 출자가액의 1천분의 4 (「지방세법」 제28조 제1항 제6호 가목). 단, 서울특별시, 인천광역시 등 「수도권정비계획법」 시행령 [별표1]에서 정한 과밀억제권역에서 법인을 설립한 경우 1천분의 12를 적용함(「지방세법」 제28조 제2항).
13) 지방교육세 : 등록면허세의 100분의 20(「지방세법」 제151조제1항).

5. 조건부지분인수계약(SAFE)

스타트업 J사는 투자자와 Seed 투자 텀싯(Term Sheet)을 협의하던 중 현재 기업가치 측정에 대한 의견이 갈려 SAFE로 진행하는 게 어떻겠냐는 이야기를 들었다. J사의 대표이사는 SAFE가 무엇인지 궁금해졌다.

스타트업의 전통적인 투자방식인 지분출자(보통주, 우선주 등)와 채권투자(전환사채, 신주인수권부사채 등)를 위해선 투자시점 당시의 기업가치, 투자조건, 지분율, 계약서 작성 등 여러 사항을 협의해야 하므로, 많은 시간과 노력이 소요된다. 투자를 위해 많은 시간과 노력을 쏟음에도 불구하고 창업 초기 스타트업에 대한 투자는 여전히 불확실성이 크다. 미국 실리콘밸리에서는 이러한 에너지 소모, 불확실성을 낮추기 위해 조건부지분인수계약으로 불리는 SAFE(Simple Agreement for Future Equity) 투자방식을 개발하였다.

우리나라에는 2020년 8월 벤처투자 촉진에 관한 법률(이하「벤처투자법」)의 시행을 통해 처음으로 SAFE가 도입되었고, 현재는 많은 기업이

SAFE 투자방식을 활용하고 있다.

벤처투자법에서는 조건부지분인수계약을 '투자금액의 상환만기일이 없고 이자가 발생하지 아니하는 계약으로서 중소벤처기업부령으로 정하는 요건을 충족하는 조건부지분인수계약을 통한 지분 인수'라 정의한다. 중소벤처기업부령으로 정하는 요건은 다음과 같다.

1) 투자금액이 먼저 지급된 후 후속 투자에서 결정된 기업가치 평가와 연동하여 지분이 확정될 것

2) 조건부지분인수계약에 따른 투자를 받는 회사가 조건부지분인수계약의 당사자가 되고, 그 계약에 대해 주주 전원의 동의를 받을 것

3) 조건부지분인수계약을 통해 투자를 받은 회사가 자본 변동을 가져오거나 가져올 수 있는 계약을 체결하는 경우 조건부지분인수계약이 체결된 사실을 해당 계약의 상대방에게 문서로 고지할 것

1)은 지분 결정, 2), 3)은 SAFE 투자로 영향을 받게 될 이해당사자를 위한 조항이다.

〈그림 : SAFE 투자〉

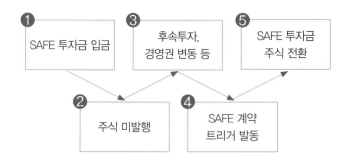

그렇다면 후속 투자에서 어떻게 지분이 확정된다는 것일까?

가치평가 상한(Valuation Cap)과 할인율(Discount Rate) 중 어느 하나 또는 모두 고려하여 SAFE 발행단가를 정한다.

먼저 가치평가 상한이란 투자자와 피투자자(스타트업)가 정한 기업가치의 상한선을 의미하며, 가치평가 상한을 통한 SAFE 발행단가는 아래 a, b 중 작은 금액을 적용한다.

a. SAFE 투자단가 = 후속 투자단가×(가치평가 상한 / 후속 투자시점 기업가치)

b. SAFE 투자단가 = 후속 투자단가

할인율은 후속 투자로 주식 전환 시 후속 투자단가 대비 할인율을 의미하며, 할인율을 이용한 SAFE 투자단가 계산식은 다음과 같다.

- SAFE 투자단가 = 후속 투자단가×(1-할인율)

SAFE 계약에 가치평가 상한과 할인율 모두 포함되어 있을 경우, 가치평가 상한과 할인율을 이용해 산정한 금액 중 적은 금액이 SAFE 단가가 된다.

구분	SAFE 투자단가
가치평가 상한 (Valuation Cap)	Min(a, b) a. 후속 투자단가 X (가치평가 상한 / 후속투자시점 기업 가치) b. 후속 투자단가
할인율 (Discount Rate)	후속 투자단가 X (1-할인율)
가치평가 상한, 할인율 동시 적용	Min(가치평가 상한, 할인율)

발행자 입장에서 SAFE 회계처리

SAFE의 특이한 점은 투자 당시에 투자자의 지분이 확정되지 않고, 후속 투자, 경영권 변동 등에서 결정된 기업가치 평가와 연동하여 SAFE 투자자의 지분이 정해진다는 것이다. 이러한 확정적이지 않은 SAFE 계약의 특성 때문에 지분이 확정되기 전까지 SAFE의 법적 성격에 대해 많은 논란이 있다.

이는 회계상으로도 마찬가지인데, 현재까지 일반기업회계기준에서는 SAFE를 자본과 부채 중 무엇으로 회계처리를 하는 것이 맞는지에 대해 명확한 규정이 없다. 다만, SAFE가 주식의 형태로 발행된다는 점을 고려한다면 법적 형식을 중요시하는 일반기업회계기준에서 자본의 요건에 더욱 부합하므로 자본으로 처리하는 것이 합리적이라는 의견이 많다[14].

발행자 입장에서 SAFE 세무

그럼 SAFE의 세무 처리는 어떻게 해야 할까? 법인세법에서는 자본 또는 출자의 납입을 익금(법인세법상 수익)으로 규정하고 있지 않으므로, SAFE도 역시 익금으로 보지 않는 것이 타당할 것으로 보인다. 즉, 법인세가 부과되는 수익에 해당되지 않는다는 말이다.

---

[14] 일반기업회계기준과 달리, 한국채택국제회계기준(K-IFRS)에서는 SAFE가 자본의 정의를 충족하지 못함에 따라 부채로 회계처리 해야 함.

6. 사채

사례

바이오 스타트업 P사는 신약개발 자금 조달을 위해 전환사채 발행을 고려
중이다. P사의 대표이사는 전환사채 발행이 재무제표에 어떤 영향을 미치
게 될지 궁금해졌다.

스타트업의 투자유치 방법은 지분투자도 있지만, 전환사채(Con-
vertible Bond), 신주인수권부사채(Bond with Warrants), 교환사채(Ex-
changeable Bond) 등 사채를 통한 자금조달 방식도 있다. 사채발행과 지
분출자의 가장 큰 차이점은 사채는 돈을 빌리는 것이므로 사채를 발행한
회사 입장에서는 사채의 만기일까지 원리금 상환 의무가 존재하며, 투
자자는 사채를 보유하고 있는 것만으로는 회사에 대한 소유권을 주장할
수 없다는 것이다. 따라서 투자자는 단순히 원금과 이자만 수취하기 위
한 일반사채보다는 일반사채에 추가 지분권리를 부여한 전환사채, 신주
인수권부사채, 교환사채, 컨버터블 노트(Convertible Note) 등 특수한 형
태의 사채를 선호한다.

이 중 스타트업 투자에서 가장 빈번하게 볼 수 있는 사채 형태는 전환사채, 신주인수권부사채인데, 이 두 가지 사채가 무엇이고 어떤 특징을 갖고 있는지 알아보자.

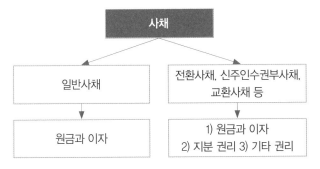

전환사채

전환사채는 일정한 전환조건 아래 사채를 주식으로 전환할 수 있는 전환권이 부여된 사채이다. 전환권을 행사하기 이전까지는 일반사채와 동일하지만, 전환권을 행사할 경우 사채를 주식으로 전환할 수 있다. 한마디로 주식으로 전환 가능한 사채다.

투자자 입장에서는 전환사채 형태로 투자할 경우 원리금을 상환받을 수 있는 권리가 있으므로 투자원금 회수위험이 감소하고, 상황에 따라 주식으로 전환도 가능하기 때문에 회사가 성장할 경우 일반사채를 보유했을 때보다 더 높은 수익률을 달성할 수 있는 이점이 있다.

그렇다면 전환사채 발행이 발행회사 재무제표에 어떤 영향을 미칠까? 가장 일반적인 조건의 전환사채를 가정할 때 자산, 부채, 자본에 미치는 영향은 다음과 같다. 참고로 초기 창업기업 대부분에게 적용되는 일반기업회계기준을 기준으로 정리하였음을 유념하자.

1) 전환사채 발행 시점 : 전환사채는 사채와 주식 성격을 동시에 띠고 있으므로, 전환사채를 발행하면 자산(투자금), 부채(사채 부분)와 자본(전환권대가)이 모두 증가하게 된다.

2) 이자 지급 시점 : 이자를 지급하므로 자산과 자본이 감소한다.

3) (주식)전환권 행사 시점 : 사채가 주식으로 전환되므로 부채가 감소하고 자본이 증가한다.

4) 만기 상환 시점(전환권 미행사분) : 사채를 현금으로 상환하므로 자산과 부채가 감소한다.

구분	자산	부채	자본
전환사채 발행 시점	증가	증가	증가
이자지급 시점	감소	–	감소
전환권 행사 시점	–	감소	증가
만기 상환 시점	감소	감소	–

② 신주인수권부사채

신주인수권부사채는 일반사채에 사채발행회사의 주식을 인수할 수 있는 권리인 신주인수권(Warrant)을 결합한 투자 형태이다. 언뜻 보면 전환사채와 비슷해 보이지만 전환사채는 전환권 행사에 따라 사채가 없어지고 주식으로 전환되는 반면, 신주인수권부사채는 신주인수권을 행사하더라도 사채가 없어지지 않는다는 차이가 존재한다. 또한 추가 납입금 없이 신주로 전환 가능한 전환사채와 달리, 신주인수권부사채는 신주인수권을 행사하려면 신주 인수 자금을 추가로 납입해야 한다.

그렇다면 신주인수권부사채 발행이 발행회사 재무제표에 어떤 영향을 미칠지 살펴보자.

1) 신주인수권부사채 발행 시점 : 신주인수권부사채는 사채와 주식 성격을 동시에 띠고 있으므로, 신주인수권부사채를 발행하면 자산(투자금), 부채(사채 부분)와 자본(신주인수권대가)이 모두 증가하게 된다.

2) 이자 지급 시점 : 이자를 지급하므로 자산과 자본이 감소한다.

3) 신주인수권 행사 시점 : 신주 인수를 위한 추가 투자금이 납입되므로 자산과 자본이 증가한다. 단, 전환사채와는 달리 사채가 소멸하지 않는다.

4) 만기 상환 시점 : 사채를 현금으로 상환하므로 자산과 부채가 감소한다.

구분	자산	부채	자본
신주인수권부사채 발행 시점	증가	증가	증가
이자지급 시점	감소	–	감소
신주인수권 행사 시점	증가	감소	증가
만기 상환 시점	감소	감소	–

위에서 보듯이 신주인수권 행사로 인해 추가 금액이 납입된다는 점을 제외하고 회계적인 효과는 전환사채와 거의 흡사하다.

컨버터블 노트

추가로 전환사채와 유사한 컨버터블 노트라는 투자 형태도 있다. 다만, 전환사채와 다른 점은 전환조건이다. 컨버터블 노트의 전환조건은 조건부지분인수계약(SAFE)처럼 향후 기업가치 등에 영향을 받아 정해진다는 점에서 전환사채와 차이가 있다. 이와 같은 특성 때문에 오픈형 전환사채라고 불리기도 한다.

사채 비교

구분	전환사채	신주인수권부사채	컨버터블 노트 (오픈형 전환사채)
금리	일반사채보다 낮음	일반사채보다 낮음	일반사채보다 낮음
전환(행사)조건	계약 당시 결정	계약 당시 결정	향후 기업가치 등에 따라 달라짐
추가 권리	전환권(사채를 주식으로 전환할 수 있는 권리)	신주인수권(주식을 약정된 가격에 인수할 수 있는 권리)	전환권(사채를 주식으로 전환할 수 있는 권리)
권리 행사 시 사채소멸 여부	사채 소멸	사채 유지	사채 소멸
권리 행사 시 추가금 납입여부	–	추가 투자금 납입	–

7. 스톡옵션(주식매수선택권)

사례

Series A를 마친 스타트업 Y사는 회사의 성장에 기여한 일부 임직원에게 스톡옵션을 부여하려고 한다. 스톡옵션 부여는 Y사의 재무제표에 어떤 영향을 미치게 될까?

상법에 따른 주식매수선택권(이하 '스톡옵션')이란 주주총회의 결의로 회사의 설립 · 경영 및 기술혁신 등에 기여하거나 기여할 수 있는 회사의 이사, 집행임원, 감사 또는 피용자에게 미리 정한 가액으로 신주를 인수하거나 자기의 주식을 매수할 수 있는 권리를 말한다.

주식매수선택권 또는 스톡옵션이라 불리는 이 제도는 많은 회사가 이용하는 보상제도이다. 일반적으로 초기 스타트업은 회사에 기여한 임직원에게 급여, 성과급 등 금전 형태로 보상할 여력이 충분하지 않아, 회사의 가치가 성장했을 때 낮은 가격으로 회사 주식을 매입할 수 있는 스톡옵션을 부여하는 경우가 많다.

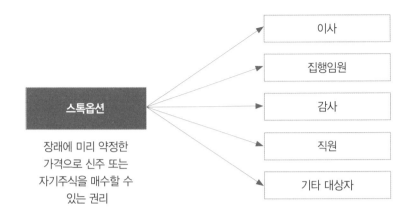

스톡옵션 회계처리

일반기업회계기준에서는 스톡옵션 부여 거래를 3가지 유형으로 나누어 제시하고 있다.

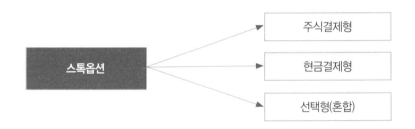

1) 주식결제형 주식기준보상거래

기업이 재화나 용역을 제공받는 대가로 기업의 지분상품(주식 또는 주식선택권 등)을 부여하는 유형이다.

- 회계처리

가. 부여 시점 : 회계처리 없음.

나. 약정된 용역제공 기간(일반적으로 행사를 위해 약정된 임직원의 근무 기간) : 주식결제형 주식기준보상거래의 경우에 제공받는 재화나 용역의 공정가치를 측정하여 그 금액을 보상원가(비용 또는 자산)와 주식선택권(자본)으로 회계처리한다. 즉, 스톡옵션을 행사하기 이전일지라도 보상원가를 미리 인식하게 되므로 손익계산서상 비용이 증가하게 된다. 다만, 중소기업의 경우 스톡옵션이 행사되기 전까지 회계처리를 하지 않을 수 있는 특례가 존재한다. 따라서 거의 대다수의 스타트업이 스톡옵션의 행사 시점 이전까지는 아무런 회계처리를 하지 않아도 된다. 중소기업회계처리 특례를 적용하지 않은 일반적인 회계처리는 다음과 같다.

차변		대변	
보상원가	XXX	주식선택권	XXX

다. 행사 시점 : 행사 시점에는 행사가격과 주식선택권(자본)에 상응하는 자본이 함께 증가하는 회계처리를 수행한다. 예를 들어 1주당 액면가 100원, 행사가 200원, 누적보상원가가 500원인 스톡옵션 10주를 행사할 때 회계처리는 아래와 같다.

차변		대변	
현금	2,000	자본금	1,000
주식선택권	500	주식발행초과금	1,500

2) 현금결제형 주식기준보상거래

기업이 재화나 용역을 제공받는 대가로 기업의 지분상품 가치에 기초하여 현금이나 기타자산으로 결제하는 유형이다.

- 회계처리

가. 부여 시점 : 회계처리 없음.

나. 약정된 용역제공기간(일반적으로 행사를 위해 약정된 임직원의 근무기간) : 현금결제형 주식기준보상거래의 경우에 제공받는 재화나 용역과 그 대가로 부담하는 부채를 부채의 공정가치로 측정한다. 또한, 부채가 결제될 때까지 매 보고기간 말과 최종결제일에 부채의 공정가치를 재측정하고 공정가치의 변동액은 보상원가로 회계처리한다.

주식결제형과 마찬가지로 스톡옵션이 부여되었다면 행사하지 않았더라도 보상원가를 인식해야 한다. 주식결제형과의 차이점은 보상원가의 상대 계정이 자본항목(주식선택권)이 아니라 부채라는 점이다. 중소기업이라고 할지라도 주식결제형과 달리 회계처리를 생략할 수 없으며, 회계처리는 다음과 같다.

차변		대변	
보상원가	XXX	장기미지급비용	XXX

다. 행사 시점 : 행사 시점에는 권리행사일의 내재가치(=공정가치-행사가)에 해당하는 금액으로 결제가 이뤄진다. 예를 들어 1주당 행사가 200원, 누적보상원가가 600원, 행사 시점 주식의 1주당 공정가치가 300원인 스톡옵션 10주를 행사할 때 회계처리는 아래와 같다.

차변		대변	
장기미지급비용	600	현금	1,000
보상원가	400		

3) 선택형 주식기준보상거래

기업이 재화나 용역을 제공받는 대가로 기업 또는 재화나 용역의 공급자가 결제방식을 선택할 수 있는 권리를 부여하는 유형이다.

- 회계처리 : 기업이 현금이나 기타자산을 지급해야 하는 부채를 부담하는 부분은 현금결제형 주식기준보상거래로 회계처리하고, 그러한 부채를 부담하지 않는 부분은 주식결제형 주식기준보상거래로 회계처리한다. 즉③은 ①, ②의 혼합으로 거래의 실질에 따라 현금이나 기타자산을 지급해야 하는 부채를 부담하는 부분은 현금결제형 주식기준보상거래, 그러한 부채를 부담하지 않는 부분은 주식결제형 주식기준보상거래로 회계처리한다.

참고로 한국채택국제회계기준(K-IFRS)을 적용하거나 중소기업에서 벗어난 회사는 중소기업회계처리 특례를 적용할 수 없으므로, 스톡옵션에 대한 비용 회계처리를 반드시 반영해야 한다.

스톡옵션 세무

1) 스톡옵션을 부여한 법인

가) 행사 이전(가득기간)

스톡옵션을 부여할 경우, 약정된 근무 기간 동안 발생한 보상원가는 손익계산서상 비용으로 인식된다. 다만, 스톡옵션이 행사되기 이전에 발생한 회계상 비용은 법인세법상 손금으로 인정되지 않는다. 스톡옵션이 회계상 손익계산서와 세무상 과세표준에 어떤 영향을 미치는지 살펴보자.

구분 (단위:원)	손금 인정 (A)	손금 부인 (B)	손금 부인 후 (C=A+B)
I. 영업수익	200	–	200
II. 영업비용	150	(100)	50
보상원가(주식매수선택권)	100	(100)	–
기타 영업비용	50	–	50
III. 영업이익	50	100	150
IV. 영업외손익	(50)	–	(50)
V. 세전이익	–	100	100
세무상 과세표준(세전이익과 동일하다고 가정)	–	100	100
법인세(세율 11% 가정)	–		11

스톡옵션 관련 비용이 세무상 비용 즉, 손금으로 인정되는 (A)의 경우, 최종 법인세 납부 금액은 0원이다. 하지만 (C)에서 볼 수 있듯이 법인세

법에서는 스톡옵션과 관련된 보상원가를 손금으로 인정하지 않기 때문에 회계상 세전이익이 없더라도 세무상 과세표준(C)이 100원이 되어 최종적으로 11원의 법인세가 발생한다.

다만, 일반기업회계기준을 적용하는 중소기업의 경우 스톡옵션이 행사되기 전까지 회계처리를 하지 않을 수 있는 특례가 존재하므로 손익계산서에 보상원가가 나타나지 않는다. 즉, 보상원가가 없으니 세전이익 100원이 그대로 세무상 과세표준이 되어 최종 법인세는 11원이 된다.

나) 행사 시점

스톡옵션 행사에 따라 주식을 시가보다 낮게 발행하는 경우, 행사 시점의 시가와 행사가액의 차액 전액을 손금산입할 수 있다.[15] 쉽게 말하면 행사 시점의 시가가 100원, 스톡옵션 행사가격이 30원인 경우 차액인 70원을 손금으로 처리 가능하다는 얘기다. 하지만 손금산입이 불가능한 스톡옵션도 있으므로 반드시 확인해봐야 한다.

2) 스톡옵션을 부여받은 자

가) 행사 이전(가득기간)

스톡옵션을 행사하기 이전까지는 스톡옵션을 부여받은 임직원 등에

---

15) 법인세법 시행령 제19조 제19호의 2

게 세무 이슈가 발생하지 않는다.

나) 행사 시점

스톡옵션을 행사할 경우 행사이익은 다음과 같다.

[행사이익 = 스톡옵션 행사 당시의 시가 - 실제 매수가액]

이때 스톡옵션의 행사이익의 기준이 되는 행사 시점은 스톡옵션을 부여받은 종업원 등이 창업 법인 등에 스톡옵션의 행사를 청구한 날을 의미한다[16]. 즉, 행사를 청구한 날의 시가와 실제 매수가액의 차액이 행사이익이 된다.

행사 이익에 대해선 소득세가 과세되는데, 행사 당시 행사자의 상황에 따라 과세 방법이 달라진다.

가. 회사에서 근무 중인 임직원이 스톡옵션을 행사하는 경우

법인 등에서 근무하는 기간 중 행사함으로써 얻은 이익이므로 근로소득으로 과세한다.

나. 회사에서 퇴직하였거나, 고용관계 없이 스톡옵션을 부여받아 행사하는 경우

퇴직 전에 부여받은 스톡옵션을 퇴직 후에 행사하거나 고용관계 없이 스톡옵션을 부여받아 행사하는 경우 기타소득으로 과세한다.

---

16) 법인, 서면인터넷방문상담1팀-431, 2008.03.28

다) 스톡옵션 세제 특례

정부에서는 스톡옵션 세제지원을 통해 벤처기업에서 인재들을 영입할 수 있도록 돕고 있다. 스톡옵션의 세제 특례는 비과세 특례, 납부 특례, 과세 특례로 나뉜다.

(1) 비과세 특례[17] : 벤처기업 또는 벤처기업이 인수한 기업의 임직원이 부여받은 스톡옵션을 행사하는 경우 행사이익 중 연간 2억 원 이내의 금액에 대해서는 소득세를 비과세한다. 다만, 소득세를 과세하지 아니하는 주식매수선택권 행사 이익의 기업별 총 누적 금액은 5억 원을 초과하지 못한다.

(2) 납부 특례[18] : 벤처기업 임원 등이 부여받은 스톡옵션을 행사함으로써 발생한 소득세는 최대 5년간 5회 분할납부가 가능하다.

(3) 과세 특례[19] : 벤처기업 또는 벤처기업이 인수한 기업의 임직원은 행사 시점에 소득세를 매기는 것과 향후 해당 주식을 양도하는 때 양도소득세를 매기는 것 중 선택할 수 있다.

다만 위 3가지 세제 특례를 누구나 적용받을 수 있는 건 아니므로 특례 적용 대상인지 반드시 확인해봐야 한다.

---

17) 조세특례제한법 제16조의2
18) 조세특례제한법 제16조의3
19) 조세특례제한법 제16조의4

8. 정부보조금

사례

한국콘텐츠진흥원의 방송콘텐츠 제작 지원사업에 관심있는 스타트업 H사.
H사는 대본화, 번역 더빙, 녹음, 편집 등 제작 비용을 지원받기 위해 지원
사업을 신청하려고 한다. H사의 대표이사는 지원사업에 선정되어 정부지
원금을 받게 되면, H사의 재무제표에 어떤 영향이 있을지 궁금하다.

국가 및 지자체에서는 스타트업을 위해 여러 창업지원사업을 진행하
고 있다. 예비창업패키지, 초기창업패키지, 아기유니콘200 육성사업 등
종류만 수백 가지에 이른다. 대개 정부보조금은 스타트업의 재무제표에
큰 영향을 미치므로 올바르게 회계처리하는 것이 중요하다.

정부보조금의 회계처리

일반적으로 스타트업은 연구개발 지원 목적으로 정부보조금을 받는
경우가 많은데, 회계처리를 하려면 우선 정부보조금이 자산관련보조금
인지 아니면 수익관련보조금인지를 먼저 판단해야 한다. 자산관련보조
금이라면 관련 자산의 차감계정, 수익관련보조금인 경우 수익으로 표시

할지 아니면 관련 비용(ex. 판매비와관리비의 연구비, 경상개발비)에서
차감할지 결정해야 한다. 만약 수익으로 표시하기로 선택한 경우 영업수
익인지 영업외수익인지 결정하면 된다.

〈그림 : 정부보조금 회계처리〉

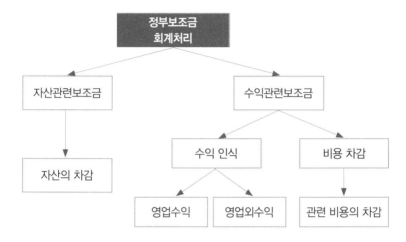

정부보조금은 매출로 처리해도 되나요?

일반기업회계기준 17.7
수익관련보조금은 수익으로 표시하거나 관련 비용에서 보조금을 상계하여 표시한
다. 해당 보조금을 수익으로 표시하는 경우, 회사의 주된 영업활동과 직접적인 관련
성이 있다면 영업수익으로, 그렇지 않다면 영업외수익으로 회계처리한다.

앞서 정부보조금의 회계처리에서 설명하였듯이 수익관련보조금은 수
익으로 표시할 수 있는데, 이때 정부보조금이 회사의 주된 영업활동과

직접적인 관련성이 있는 경우에만 영업수익 즉, 매출로 처리할 수 있다. 과거 금융감독원 일반기업회계기준 질의회신에 따르면, 주된 영업활동 여부를 판단하는 기준은 다음과 같다[20].

1) 해당 영업활동을 정관에 사업목적으로 정하고 있는지

2) 해당 영업활동이 계속, 반복적으로 이루어지고 있는지

3) 해당 영업활동으로부터 창출된 수익이 전체 수익 금액에서 차지하는 비중이 중요한지

매출로 인식하고자 하는 회사가 많을 것으로 생각되지만, 대부분의 회사는 연구개발보조금을 매출이 아닌, 영업외수익이나 관련 비용의 상계로 처리하는 것이 타당한 경우가 많다.

연구용 기계장치, 연구용 장비, 연구용 소프트웨어를 취득하기 위해 지원받은 보조금은 어떻게 처리하나요?

일반기업회계기준 17.5
자산관련보조금(공정가치로 측정되는 비화폐성 보조금 포함)을 받는 경우에는 관련 자산을 취득하기 전까지 받은 자산 또는 받은 자산을 일시적으로 운용하기 위하여 취득하는 다른 자산의 차감계정으로 회계처리하고, 관련 자산을 취득하는 시점에서 관련 자산의 차감계정으로 회계처리한다. 자산관련보조금(공정가치로 측정되는 비화폐성 보조금 포함)은 그 자산의 내용연수에 걸쳐 상각금액과 상계하며, 해당 자산을 처분하는 경우에는 그 잔액을 처분손익에 반영한다.

---

20) 금융감독원 질의회신 [2004-022] 임대수익 매출계상 가능 여부에 대한 질의

스타트업에서는 신기술 개발을 위해 연구용 기계장치, 연구용장비, 연구용 소프트웨어 등을 취득하는 경우가 많은데, 취득금액의 일부를 정부보조금으로 조달하는 경우가 있다.

100원의 기계장치를 취득하기 위해 80원의 보조금을 지원받은 경우, 취득 시점 회사의 재무제표에서는 정부보조금 80원이 기계장치의 차감계정으로 표시된다. 즉, 재무제표상 기계장치의 순장부금액은 100원이 아니라, 정부보조금 80원이 차감된 20원이다. 다만, 이 정부보조금은 80원 그대로 남아있는 게 아니라, 기계장치의 내용연수에 걸쳐 발생하는 기계장치의 감가상각비와 상계 처리된다. 만약 정부보조금을 받아 구입한 기계장치의 내용연수가 5년이라면 감가상각비는 20원(=100/5)이며, 정부보조금으로 인해 감가상각비 16원(=80/5)이 감소하는 것이다. 이러한 회계처리 과정을 거치며, 기계장치의 내용연수가 종료되는 시점에는 차감 표시되었던 정부보조금도 모두 없어지게 된다.

〈표 : 자산관련보조금 회계처리 예시〉

구분	2023년	2024년	2025년	2026년	2027년	2028년
재무상태표						
기계장치	100	80	60	40	20	–
정부보조금	(80)	(64)	(48)	(32)	(16)	–
손익계산서						
기계장치 감가상각비	–	20	20	20	20	20
감가상각비 차감 (정부보조금)	–	(16)	(16)	(16)	(16)	(16)
최종 감가상각비	–	4	4	4	4	4

9. 자회사 회계

국내 스타트업 A사는 2023년 중 미국에 연구개발과 영업활동을 위한 B사를 설립했다. A사는 B사의 지분을 100% 보유하고 있는데, A사의 대표이사는 자회사 설립이 A사의 재무제표에 어떤 영향을 미치게 될지 궁금하다.

상법에서는 발행주식총수의 50%를 초과하여 보유한 회사를 자회사라 부른다. 발행주식총수의 과반수 즉, 보유 지분율이 50%를 초과한다는 건 지분을 보유한 모회사가 자회사 의결권의 과반수를 차지하고 있다는 의미이기도 하다.

최근에는 글로벌 시장을 대상으로 하는 스타트업이 많아짐에 따라 국내뿐만 아니라 해외에 자회사를 설립하는 스타트업이 늘어나고 있다. 하지만 대부분의 스타트업이 자회사 설립 경험이 없어 자회사의 설립이 모회사 회계에 어떤 영향을 미치는지 잘 알지 못한다. 대부분의 스타트업에 적용되는 일반기업회계기준을 중심으로, 모회사인 지배기업이 자회사인 종속기업을 설립하였을 때 어떤 회계 이슈가 있는지 살펴보자.

지배기업(모회사)의 연결재무제표 작성

일반기업회계기준 제4장 [연결재무제표]
4.5 지배기업이 직접으로 또는 종속기업을 통하여 간접으로 기업 의결권의 과반수
를 소유하는 경우에는 지배기업이 그 기업을 지배한다고 본다. 다만, 그러한 소유권
이 지배력을 의미하지 않는다는 것을 명확하게 제시할 수 있는 예외적인 경우는 제
외한다. (후단 생략)

지배한다는 건 기업의 재무 및 영업 정책을 결정할 수 있는 능력이 있
다는 말이다. 일반적으로 지배기업이 어떤 기업의 의결권 과반수(지분
율 50% 초과)를 소유한 경우 지배하고 있다고 본다. 하지만 기업의 의결
권 과반수를 소유하고 있더라도 지배력을 행사할 수 없는 경우 그 기업
을 지배하지 않는 것으로 볼 때도 있다.

아래에 해당하는 경우 다른 기업의 의결권 과반수에 못 미치는 지분을
보유하고 있을지라도 지배한다고 본다.

4.5 (전단 생략)다음의 경우에는 지배기업이 다른 기업 의결권의 절반 또는 그 미만
을 소유하더라도 지배한다고 본다.
(1) 다른 투자자와의 약정으로 과반수의 의결권을 행사할 수 있는 능력이 있는 경우
(2) 법규나 약정에 따라 기업의 재무정책과 영업정책을 결정할 수 있는 능력이 있는
경우
(3) 이사회나 이에 준하는 의사결정기구가 기업을 지배한다면, 그 이사회나 이에 준하
는 의사결정기구 구성원의 과반수를 임명하거나 해임할 수 있는 능력이 있는 경우
(4) 이사회나 이에 준하는 의사결정기구가 기업을 지배한다면, 그 이사회나 이에 준
하는 의사결정기구의 의사결정에서 과반수의 의결권을 행사할 수 있는 능력이 있
는 경우

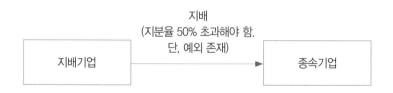

지배력 판단과정을 거쳐 지배기업이 종속기업을 지배하고 있다고 판단되면, 지배기업은 연결재무제표를 작성해야 한다. 연결재무제표란, 독립적인 경제적 실체인 지배기업과 종속기업을 단일의 경제적 실체라고 가정하고 작성한 재무제표다. 지배기업과 종속기업의 재무제표를 하나로 합친다고 생각하면 된다. 하지만 연결재무제표는 단순히 숫자를 더하는 것뿐만 아니라, 서로 간의 채권, 채무, 내부거래를 제거해주는 등 다소 복잡한 과정을 거쳐야 한다. 예를 들어 지배기업이 종속기업에 20원의 제품을 판매했다면, 연결재무제표 관점에서는 하나의 경제적 실체이므로 내부 사업부 간 제품이 오간 것일 뿐 외부에 판매한 활동으로 보지 않아 매출에서 제외한다.

〈그림 : 개별재무제표와 연결재무제표〉

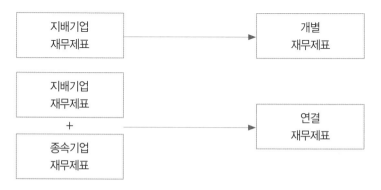

이러한 연결재무제표는 지배기업이 [주식회사 등의 외부감사에 관한 법률]에 따라 외부회계감사 대상에 해당하면 반드시 작성해야 했다. 하지만 최근 개정된 일반기업회계기준 경과규정에 따라, 2027년까지는 중소기업의 연결재무제표 작성 업무에 대한 부담을 덜어주기 위해 종속기업이 [주식회사 등의 외부감사에 관한 법률]에 따른 외부회계감사 대상이 아닌 경우 지배기업은 종속기업을 종속기업으로 보지 않을 수 있게 되었다. 즉, 종속기업으로 보지 않아 연결재무제표를 작성하지 않아도 된다는 말이다. 다만, 한국채택국제회계기준(K-IFRS)을 적용하는 지배기업에는 해당하지 않으므로 주의해야 한다.

지배기업(모회사)의 개별재무제표 지분법

일반기업회계기준 제4장 [연결재무제표]
4.18 지배기업이 개별재무제표를 작성할 때, 종속기업에 대한 투자자산은 제8장 '지분법'에 따라 회계처리한다.

개별재무제표란 지배기업 자신만의 재무제표를 말한다. 지배기업의 개별재무제표에서는 종속기업의 주식을 종속기업투자주식이라는 계정과목으로 회계처리 하는데, 위 기준서 문단에서 볼 수 있듯이 종속기업에 대한 투자자산 즉, 종속기업투자주식은 지분법 회계처리를 적용해야 한다.

그렇다면 지분법 회계처리란 무엇일까? 지분법 회계처리란 투자기업이 피투자기업에게 유의적인 영향력(일반적으로 지분율 20% 이상)을 행사할 때 피투자기업의 경영실적을 지분율만큼 반영하는 방법이다. 다시 말해 피투자기업의 순자산 증감을 투자기업 재무제표의 투자주식 장부금액에 지분율만큼 반영하는 회계처리다. 쉽게 말해 종속기업의 재무제표 변동금액이 투자기업의 개별재무제표에 영향을 미친다고 생각하면 된다.

〈그림 : 지분법 회계처리〉

　연결재무제표 작성 의무가 있는 지배기업은 종속기업 지분율의 과반수를 보유하고 있으므로, 유의적인 영향력보다 더 큰 지배력을 행사하고 있다. 따라서 지배기업은 개별재무제표에서 종속기업투자주식을 지분법으로 회계처리를 해야 한다. 하지만 일반기업회계기준 경과규정에 따라 외부감사대상이 아닌 종속기업은 지배회사의 종속기업으로 보지 않을 수 있으므로 종속기업투자주식이 아닌 관계기업투자주식, 매도가능증권으로 회계처리하는 것이 가능하다.

　또한 지배기업은 중소기업회계처리 특례를 적용해 지분법 회계처리를 적용하지 않을 수 있다[21]. 따라서 종속기업이 있더라도 지분법 회계

---

21) 일반기업회계기준 문단 31.6

처리를 하지 않을 수 있는지 확인해봐야 한다. 다만, 한국채택국제회계기준을 적용하거나 중소기업이 아닌 경우 방금 설명한 예외규정이 적용되지 않는다.

〈그림 : 종속기업투자주식 지분법 회계처리〉

종속기업 투자주식 회계처리	
원칙	지분법 회계처리 적용
예외	종속기업이 소규모기업(외부감사 대상X)인 경우, 지분법 회계처리 생략 가능

10. 오류수정

스타트업 F사는 투자유치 과정에서 재무실사를 담당하는 회계법인으로부터 과거 사업연도 회계오류가 여러 건 발견되었다는 내용을 전달받았다. F사의 대표이사 T씨는 과거에 발생한 회계오류를 어떻게 수정하는지 그리고 오류를 수정했을 때 회계적 효과가 궁금하다.

스타트업은 R&D, 마케팅, 영업 등에 집중하다 보니 회계에 소홀할 때가 많다. 따라서 재무제표에서 예상외로 많은 회계오류가 발견된다. 회계오류는 주로 담당자의 실수나 회계기준의 잘못된 해석 또는 고의적인 누락 등에 의해 발생하게 되는데, 최근 스타트업에 대한 투자 검토 절차가 엄격해진 만큼 투자 검토 과정에서 재무제표 회계오류 지적 사례가 많아지고 있다. 스타트업 재무제표에서 흔히 보이는 회계오류 사례 그리고 발견된 오류를 어떻게 처리해야 하는지 알아보자.

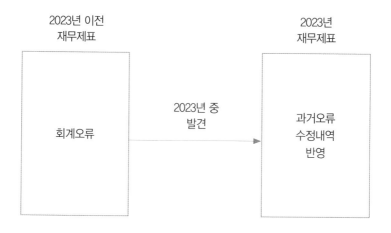

회계오류 사례

1) 현금, 예금, 적금, 보험상품 등 금융자산

- 현금 : 재무제표에서 말하는 현금은 수표, 지폐, 동전 등 실물화폐를 의미한다. 요즘은 현금을 인출하여 쓰는 기업이 많지 않아 현금이 0인 경우가 대부분이다. 하지만 간혹 실제 현금이 하나도 없는데 재무제표에는 현금이 있는 경우가 있다. 이는 현금 인출 뒤 사용내역에 대한 회계처리를 누락하였거나 원인 불분명 내역을 현금으로 처리하였기 때문이다.

- 예금, 적금 : 은행 등 금융기관에서 가입한 예금 및 적금 계좌의 잔액과 재무제표상 잔액이 일치하지 않는 경우다. 입출금 내역은 없었지만 잔액이 있는 미사용 계좌가 재무제표에 반영되지 않는 사례가 있다.

- 보험상품 : 보험 납입금액 중 보장성보험료, 사업비는 비용으로 처리해야 하며, 보험 해약 시 반환받을 수 있는 나머지 부분에 대해서만 해약

환급금액만큼 자산으로 처리할 수 있다. 하지만 보장성보험료를 비용처리하지 않고, 장기금융상품 등 자산 계정과목으로 회계처리를 하는 경우가 있다.

2) 유형/무형자산

- 토지(유형자산) : 토지를 취득하기 위해 필수적으로 지출한 취득세, 법률비용 등을 자산이 아닌 비용처리함으로써 토지의 장부금액이 왜곡되는 경우가 있다.

- 개발비(무형자산) : 자산성이 없는 연구개발 관련 비용을 무형자산인 개발비로 처리하는 경우다. 자산성이 없는 개발비는 일시에 비용처리가 되는 경우도 있으니 원칙대로 회계처리를 하는 것이 바람직하다.

- 기타 상각대상 유형/무형자산 : 대출, 신용평가 등 여러 이유로 이익을 내야 하는 경우, 유형자산 감가상각비, 무형자산 상각비를 일부러 과소계상 하기도 한다. 주로 처음 회계감사를 받는 회사의 재무제표에서 많이 발견된다.

3) 차입금

- 금융기관 차입금 : 금융기관 차입 잔액이 틀린 경우는 거의 없다. 다만, 유동부채로 분류해야 할 차입금을 비유동부채로 분류하거나 드물지만 비유동 차입금을 유동성 차입금으로 분류하는 경우가 있다.

- 가지급금/가수금 : 가지급금/가수금은 주로 회사와 대표이사 간 사업외 용도로 오고 간 자금 거래로 인해 발생한다. 입출금 내역을 정확하

게 파악하지 못해 회계처리가 불분명한 경우가 많으며, 사업외 용도로 발생하는 계정과목인 만큼 발생하지 않도록 하는 게 좋겠지만, 피치 못할 사정으로 자금거래를 해야 한다면 거래내역을 정확하게 회계처리해야 한다.

4) 기타부채

- 매입채무, 미지급금 등 : 이미 지급한 채무금액임에도 불구하고, 아직 지급되지 않은 것으로 처리된 경우가 있다. 이러한 오류는 매입채무, 미지급금 등 부채뿐만 아니라, 매출채권, 미수금 등 자산계정 과목에서도 흔히 발생한다. 주로 회계담당자가 실수로 채무에 대한 출금내역을 원래의 채무에서 차감하지 않고 별개의 거래로 보아 새로운 거래로 처리하며 발생한다.

- 퇴직급여충당부채 : 임직원이 일시에 퇴직하였을 경우, 회사가 임직원에게 지급해야 할 퇴직금을 계산하여 미리 부채로 인식한 것이 퇴직급여충당부채다. 실제로 퇴사하지 않았음에도 불구하고 미리 비용으로 인식해야 하므로 일부러 회계처리하지 않는 사례도 종종 보인다.

5) 자본

- 자본금 : 회계담당자의 실수로 자본금 납입 회계처리를 누락하거나, 잘못 입력하였음에도 법인등기부등본과 대사 확인하는 작업을 누락하여 오류가 발생하는 경우가 많다. 또한 SAFE투자금(조건부지분인수계약)을 자본금으로 처리하는 등 자본금 요건을 만족하지 않는 항목을 자

본금으로 처리하는 사례도 심심찮게 볼 수 있다.

6) 손익

- 매출 : 회계기준 수익 인식 요건과 무관하게 매출세금계산서 발행기준으로 매출 회계처리를 하는 경우다. 세금계산서 발행시점이 수익인식 시점과 일치할 때도 있지만 그렇지 않은 경우도 많기 때문에 주의해야 한다.

- 경영성과급 : 경영성과급은 주로 사업연도가 종료된 이후 책정되어 지급되는 경우가 많다. 2022년 경영성과에 따른 인센티브를 2023년 2월에 지급하는 회사가 있다고 가정해보자. 이 경우, 2023년이 아닌 2022년 비용으로 인식하는 것이 타당하다. 하지만 지급시점인 2023년 비용으로 처리하는 오류를 범하는 경우도 심심찮게 보인다.

- 보증기관 보증료 : 신용보증기금, 기술보증기금 등 보증기관을 통해 대출 보증을 받을 때 매년 보증료를 내게 된다. 이러한 보증료를 비용이 아닌 기타보증금과 같은 자산 항목으로 처리해선 안 된다.

- 정부보조금 : 회사가 수취한 정부보조금을 매출과 같은 영업수익으로 처리하는 걸 심심찮게 볼 수 있는데, 이는 잘못된 회계처리일 수 있다. 정부보조금이 회사의 주된 영업활동과 직접적인 관련성이 있는 경우에만 매출로 처리할 수 있고, 이외에는 영업외수익 혹은 관련 비용의 차감으로 처리해야 한다. 주로 매출을 늘리려는 유인 때문에 발생한다.

오류수정은 어떻게?

다음은 오류수정과 관련된 일반기업회계기준이다.

일반기업회계기준 제5장【회계정책, 회계추정의 변경 및 오류】

5.18 이 장에서 오류수정은 전기 또는 그 이전의 재무제표에 포함된 회계적 오류를 당기에 발견하여 이를 수정하는 것을 말한다. 중대한 오류는 재무제표의 신뢰성을 심각하게 손상할 수 있는 매우 중요한 오류를 말한다.

5.19 당기에 발견한 전기 또는 그 이전 기간의 오류는 당기 손익계산서에 영업외손익 중 전기오류수정손익으로 보고한다. 다만, 전기 이전 기간에 발생한 중대한 오류의 수정은 자산, 부채 및 자본의 기초금액에 반영한다. 비교재무제표를 작성하는 경우 중대한 오류의 영향을 받는 회계기간의 재무제표항목은 재작성한다.

5.20 전기 또는 그 이전 기간에 발생한 중대한 오류의 수정을 위해 전기 또는 그 이전 기간의 재무제표를 재작성하는 경우 각각의 회계 기간에 발생한 중대한 오류의 수정 금액을 해당 기간의 재무제표에 반영한다. 비교재무제표에 보고된 최초회계기간 이전에 발생한 중대한 오류의 수정에 대하여는 당해 최초회계기간의 자산, 부채 및 자본의 기초금액에 반영한다. 또한 전기 또는 그 이전 기간과 관련된 기타재무정보도 재작성한다.

기준서에서 볼 수 있듯이, 당기에 발견한 전기 또는 그 이전 기간의 오류는 당기 손익계산서에 전기오류수정이익, 전기오류수정손실로 반영하면 된다. 하지만 재무제표의 신뢰성을 심각하게 손상할 수 있는 중대한 오류는 전기 또는 그 이전 기간의 재무제표를 재작성해야 한다. 즉, 중대한 오류는 과거 재무제표를 소급하여 올바른 금액으로 수정하고 그 손익효과는 이익잉여금의 변동으로 반영해야 한다.

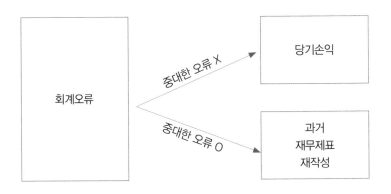

11. 중소기업 회계처리 특례

사례

최근 임직원에게 스톡옵션을 부여한 스타트업 G사. G사의 대표이사 J씨는 상장사 회계팀에 근무하는 지인에게 스톡옵션 부여에 관한 이야기를 했더니, 스톡옵션을 부여하면 재무제표에 반영해야 한다는 이야기를 들었다. J씨는 지인으로부터 들은 이야기를 G사의 세무대리인 K회계사에게 전달하였는데, K회계사는 상장사와 달리 G사는 비상장 중소기업이므로 중소기업 회계처리 특례를 적용하면 스톡옵션 행사 전까지 회계처리를 생략할 수 있다고 말하였다. 답변을 들은 J씨는 중소기업 회계처리 특례가 무엇이고 어떤 상황에서 적용되는지 궁금해졌다.

일반기업회계기준에서는 이해 관계자가 적은 중소기업의 회계처리 부담을 완화하기 위해 회계기준을 완화하여 적용할 수 있도록 '중소기업 회계처리 특례[22]라는 별도의 회계처리 기준을 제시하고 있다. 특례 적

---

22) 일반기업회계기준 31장 중소기업 회계처리 특례 문단 31.1에 따르면, 중소기업 회계처리 특례기준서 제정의 목적은 이해 관계자가 적은 중소기업의 회계처리 부담을 완화하기 위하여 다른 장에서 정한 인식·측정기준 및 공시사항과 달리 적용할 수 있도록 필요한 사항을 정하는 데 있다.

용 대상 그리고 특례 내용은 무엇인지 알아보도록 하자.

중소기업 회계처리 특례 적용대상

중소기업 회계처리 특례는 중소기업기본법에 의한 중소기업인 경우에만 적용할 수 있다. 다만, 다음의 기업 중 하나에 해당할 경우 중소기업 회계처리 특례를 적용할 수 없다. 주로 통일주권을 발행해 주주가 500명이 넘어 사업보고서 제출 대상 법인이 되거나, 연결 대상 종속회사가 중소기업이 아니게 되어 적용 대상에서 제외되는 경우가 많다.

> 일반기업회계기준 제31장 31.2 문단 중
> (1) 자본시장과 금융투자업에 관한 법률에 따른 다음의 기업
> (가) 상장법인
> (나) 증권신고서 제출법인
> (다) 사업보고서 제출대상법인
> (2) 일반기업회계기준 제3장 '재무제표의 작성과 표시 II (금융업)'에서 정의하는 금융회사
> (3) 일반기업회계기준 제4장 '연결재무제표'에서 정의하는 연결 실체에 중소기업이 아닌 기업이 포함된 경우의 지배기업

중소기업 회계처리 특례

1) 시가가 없는 파생상품

> 일반기업회계기준 제31장 [중소기업 회계처리 특례]
> 31.4 정형화된 시장에서 거래되지 않아 시가가 없는 파생상품에 대하여는 계약시점 후 평가에 관한 회계처리를 아니할 수 있다.

원칙적으로 환율을 기초변수로 한 선물거래와 같이 파생상품 거래를 할 경우 매년 파생상품 계약 시점 이후 공정가치 평가를 수행해야 한다. 하지만 공정가치 평가 업무는 시간적, 금전적 부담이 적지 않으므로 시가가 없는 파생상품에 한하여 계약을 유지하고 있는 동안에는 파생상품 평가에 관한 회계처리를 생략할 수 있다는 내용이다.

2) 시장성 없는 지분증권

일반기업회계기준 제31장 [중소기업 회계처리 특례]
31.5 시장성이 없는 지분증권은 취득원가를 장부금액으로 할 수 있다. 다만, 제6장 '금융자산·금융부채'의 제2절 '유가증권'의 문단 6.A13을 준용하여 손상차손누계액이 있는 경우에는 취득원가에서 이를 차감한다.

삼성전자, 현대자동차, 에코프로와 같이 KOSPI, KOSDAQ 등에 상장된 상장회사의 지분증권은 시가가 존재하므로 시장성이 있는 지분증권으로 본다. 하지만 일반적으로 비상장회사의 지분증권은 상장회사 지분증권과 달리 활성시장에서 거래되지 않기 때문에 시장성이 없다.

재무제표에는 상장 여부와 관계없이 지분증권의 시가 즉, 공정가치로 표시해야 할 때가 있는데, 비상장회사 지분증권의 공정가치를 파악하기 위해선 회계법인, 신용평가사 등 외부 기관으로부터 공정가치 평가를 받아야 한다. 이러한 평가 업무 부담을 덜어주기 위해 중소기업이 시장성이 없는 비상장주식을 취득한 경우, 주식의 장부금액을 당초 취득원가로 할 수 있도록 선택권을 주고 있다. 다만, 지분증권 발행자의 재무 상황 악

화, 파산 등 손상징후가 식별되면 손상차손을 인식해야 한다.[23]

3) 관계기업 및 공동지배기업 투자주식

일반기업회계기준 제31장 [중소기업 회계처리 특례]
31.6 관계기업이나 공동지배기업에 대하여는 지분법을 적용하지 아니할 수 있다.

특례를 적용하면 중소기업이 유의적인 영향력을 행사할 수 있는 관계기업(지분율 20% 이상)이나 참여자 사이의 계약상 약정을 통하여 경제활동에 대한 공동지배가 성립되는 공동지배기업(조인트벤처)에 대한 투자주식을 보유하고 있을 경우, 지분법을 적용하지 않을 수 있다. 예를 들어 관계기업투자주식의 취득원가가 100원이라면, 관계기업투자주식 장부금액은 지분법 회계처리를 하지 않은 취득원가 100원으로 처리해도 무방하다는 말이다. 이때 계정과목은 관계기업/공동지배기업 투자주식이 아닌 매도가능증권 등으로 처리할 수도 있다. 또한, 취득원가로 처리할 경우 시장성 없는 지분증권 특례와 동일하게 손상징후가 식별되면 손상차손을 인식해야 한다.[24] 다만 이 특례는 지분율의 과반수를 보유한 연결 대상 종속기업투자주식에는 적용되지 않는다.

한편 일반기업회계기준 경과규정(2022.12.2.)에 따라, 일반기업회계기준을 적용하는 기업이 외부감사 대상이 아닌 소규모 기업의 주식을 보유하고 있을 경우, 지분율이 50%가 넘더라도 종속기업으로 보지 않을 수

---

23) 일반기업회계기준 문단 6.32
24) 일반기업회계기준 문단 8.27

있다. 이 규정으로 인해 일반기업회계기준을 적용하는 중소기업이 외부감사 대상이 아닌 회사 주식의 과반수를 소유할 때, 피투자회사를 종속기업이 아닌 관계기업으로 볼 수 있다.

또한, 중소기업 회계처리 특례에 따라 관계기업에 지분법을 적용하지 않을 수 있으므로 매도가능증권 등으로 처리할 수도 있다. 결국 중소기업 입장에서 경과규정과 중소기업 회계처리 특례를 동시에 적용하면 회계처리 부담이 크게 완화되는 효과가 있다.

4) 장기 채권 · 채무 현재가치 평가

일반기업회계기준 제31장 [중소기업 회계처리 특례]
31.7 장기연불조건의 매매거래 및 장기금전대차거래 등에서 발생하는 채권 · 채무는 현재가치평가를 하지 않을 수 있다.

원칙적으로 재고자산 판매, 금전대차거래 등의 지급조건이 1년을 넘어 장기간에 걸쳐 이루어지는 조건의 채권 · 채무는 현재가치평가를 해야 하지만, 특례를 적용하면 현재가치평가를 생략할 수 있다.

5) 주식결제형 스톡옵션

일반기업회계기준 제31장 [중소기업 회계처리 특례]
31.8 주식결제형 주식기준보상거래가 있는 경우에는 부여한 지분상품이 실제로 행사(예: 주식선택권이 부여된 경우)되거나 발행(예: 주식이 부여된 경우)되기까지는 별도의 회계처리를 아니할 수 있다.

주식결제형 스톡옵션은 부여 시점 이후 매 결산일마다 스톡옵션 회계처리를 해야 하지만, 특례를 적용하면 실제로 행사되기 전까지 별도의 회계처리를 하지 않아도 된다.

6) 1년 이내 용역매출 및 건설형 공사계약

> 일반기업회계기준 제31장 [중소기업 회계처리 특례]
> 31.9 1년 내의 기간에 완료되는 용역매출 및 건설형 공사계약에 대하여는 용역제공을 완료하였거나 공사 등을 완성한 날에 수익으로 인식할 수 있으며, 1년 이상의 기간에 걸쳐 이루어지는 할부매출은 할부금회수기일이 도래한 날에 실현되는 것으로 할 수 있다.

원칙적으로 용역매출과 건설형 공사계약은 진행기준으로 처리해야 한다.[25] 진행기준으로 매출을 인식하는 회사는 진행률 추정이 중요한 회계 이슈다. 하지만 이 특례를 적용하면 진행률을 추정할 필요 없이 1년 내의 기간에 완료되는 용역 등에 한해 용역제공 등이 완료된 날에 수익으로 인식할 수 있어 회계처리 부담을 덜 수 있다.

7) 유형자산, 무형자산 내용연수 및 잔존가치

> 일반기업회계기준 제31장 [중소기업 회계처리 특례]
> 31.10 유형자산과 무형자산의 내용연수 및 잔존가치의 결정은 법인세법 등의 법령에 따를 수 있다.

---

25) 일반기업회계기준 문단 16.11, 16.39

법인세법에서는 자산의 유형별로 내용연수를 규정하고 있는데, 이 특례를 적용하면 기준서에서 요구하는 내용연수 및 잔존가치와는 무관하게 법인세법 등에서 규정하는 대로 처리할 수 있다.

8) 장기할부조건 처분이익

> 일반기업회계기준 제31장 [중소기업 회계처리 특례]
> 31.11 토지 또는 건물 등을 장기할부조건으로 처분하는 경우에는 당해 자산의 처분이익을 할부금회수기일이 도래한 날에 실현되는 것으로 할 수 있다.

토지나 건물과 같은 자산의 매각대금 회수조건이 장기할부조건에 해당하는 경우 자산의 처분이익을 할부금의 회수기일이 도래한 날에 실현되는 것으로 할 수 있다.

9) 법인세비용

> 일반기업회계기준 제31장 [중소기업 회계처리 특례]
> 31.12 법인세비용은 법인세법 등의 법령에 의하여 납부하여야 할 금액으로 할 수 있다.

재무제표상 법인세비용은 법인세 세무조정을 통해 산출된 당해연도 법인세 그리고 회계상의 이익과 법인세 과세표준과의 차이가 일시적일 경우 세금 효과를 이연하는 이연법인세로 구성된다. 하지만 중소기업 회계처리 특례를 적용하면, 이연법인세를 인식하지 않고 세무조정에서 산출된 법인세만 법인세비용으로 인식하면 되므로 회계처리 부담이 경감된다.

　참고로 중소기업 회계처리 특례는 무조건 적용해야 하는 강행규정은 아니며, 특례 항목을 선택적으로 적용하는 것도 가능하므로 특례 규정을 잘 살펴본 뒤 어떤 특례를 적용할지 결정하면 된다.

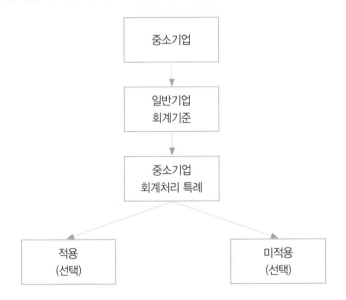

Lesson4

생소하지만 알아야 할 정보

1. 스타트업 회계감사

사례

Series A를 마친 스타트업 R사. R사의 Series A 투자계약서에는 매년말 투자자에게 회계법인으로부터 회계감사를 받은 재무제표를 제출해야 한다는 조항이 있다. R사의 대표이사 H씨는 생전 처음 접하는 회계감사가 무엇인지 궁금하다.

대부분의 스타트업은 외부회계감사(이하 '회계감사') 의무가 없지만 투자유치에 성공한 경우 회계감사를 받는 경우가 있다. 회계감사의 개념, 회계감사 대상, 회계감사를 위한 준비 그리고 회계감사의 이점에 대해 알아보도록 하자.

회계감사의 개념

회계감사는 회사가 작성한 재무제표가 회계기준에 따라 적정하게 작성되었는지 독립된 외부 감사인인 회계법인 등이 의견을 표명하는 업무를 말한다. 쉽게 말하면 재무제표가 회계기준에 맞게 작성되었는지 의견을 주는 업무다.

많은 스타트업이 감사라는 단어 때문에 회계감사를 회사자금을 업무 용도에 맞게 썼는지 혹은 배임, 횡령 등 부정을 확인하는 절차라고 오해 하는 경우가 많다. 하지만 회계감사는 회사의 재무제표가 회계기준에 맞게 작성되었는지 의견을 주는 것일 뿐, 부정에 대한 적발이 주 목적 은 아니다.

한편 회계감사인의 감사보고서에는 회계감사의 결과로써 감사인의 의견이 기재된다. 감사의견은 적정, 한정, 부적정, 의견거절 4가지로 구 성된다. 회계기준에 따라 공정하게 작성된 재무제표는 적정의견, 적정 의견이 아닌 경우 부적정한 정도에 따라 한정, 부적정, 의견거절 의견을 받게 된다.

회계감사 대상

우리나라의 회계감사 대상에 관해서는 「주식회사 외부감사에 관한 법 률」(이하 「외감법」)에서 규정하고 있다. 아래 1~3 중 하나에 해당하는 회 사(주식회사 및 유한회사)는 회계감사를 수감할 의무가 있다.[26]

1. 주권상장법인

---

26) 주식회사 등의 외부감사에 관한 법률 제4조(외부감사의 대상)

2. 해당 사업연도 또는 다음 사업연도 중에 주권상장법인이 되려는 회사

3. 직전 사업연도 말의 자산, 부채, 종업원 수 또는 매출액이 아래의 조건(a, b, c) 중 하나에 해당하는 경우

(a). 직전 사업연도 말의 자산총액이 500억 원 이상인 회사

(b). 직전 사업연도의 매출액이 500억 원 이상인 회사

(c). 다음 가~라 중 2개 이상에 해당하는 주식회사(유한회사는 가~마 중 3가지 이상 해당)

　가. 직전 사업연도 말의 자산총액이 120억 원 이상

　나. 직전 사업연도 말의 부채총액이 70억 원 이상

　다. 직전 사업연도의 매출액이 100억 원 이상

　라. 직전 사업연도 말의 종업원이 100명 이상

　마. 직전 사업연도 말의 사원 수 50명 이상(유한회사의 경우에만 고려)

스타트업 중 외감법상 회계감사 의무가 없음에도 불구하고, 회계감사를 받는 경우가 있다. 업계에서는 법적으로 회계감사 의무가 없는 회사가 회계감사를 수감하는 경우에 '임의감사'를 받는다고 표현한다.

임의감사를 받는 대다수의 스타트업은 주로 사모펀드, 벤처캐피탈 등 기관투자자와 투자 계약사항 중 회계감사를 받은 재무제표를 제출해야 한다는 조항 때문에 외감법과는 상관없이 회계감사를 받고 있다.

회계감사를 위한 준비

회계감사를 위해 준비해야 하는 사항은 다음과 같다.

첫째, 회계감사의 기초자료인 회계자료가 제대로 작성되고 있는지 검토해야 한다. 회계감사는 회계기록의 잘못된 점을 바로잡는 것이 아니라, 작성된 재무제표가 회계기준에 맞는지 확인하고 그에 대한 의견만을 주는 절차다. 회계감사인은 회사의 회계자료가 잘못되었더라도 대리 작성할 수 없기 때문에 기초자료인 회사의 회계자료가 잘 작성되도록 관심을 기울여야 한다.

둘째, 매출, 매입, 자금대여, 자금차입 등 회사의 주요 영업활동에 대해 가능하면 계약서 등 서류를 구비해야 한다. 회계감사는 주로 재무자료, 회사 담당자와의 인터뷰 그리고 회사가 준비한 문서를 이용하여 진행되는데, 제삼자인 회계감사인은 정확한 사실관계 확인을 위해서 많은 부분을 문서에 의존할 수밖에 없다.

셋째, 회계감사인은 가능하면 일찍 선정해야 유리하다. 우리나라 스타트업은 12월 말 결산법인인 경우가 많아서 결산일인 12월 말로부터 2~3개월 이내에 주주총회가 열린다. 스타트업의 회계감사보고서는 주주총회에 제출되어야 하기 때문에, 사실상 2~3월 중에 회계감사가 모두 마무리되어야 한다. 하지만 회계감사라는 것이 1~2주 만에 뚝딱하고 끝나는 게 아니기 때문에 충분한 시간 여유를 가지고 감사업무를 진행하려면 회계감사인을 일찍 선정해는 것이 좋다.

일반적인 임의감사에 한해, 만약 2024년 3월 중 감사보고서 제출이 필요한 경우 2023년 10월 이전에 회계감사인을 선임하면 여러 가지 이슈를 논의하고 해결하기에 충분하다.

회계감사의 이점

누군가는 회계감사를 불필요한 비용지출이라고 생각할 수도 있겠지만 회사 입장에서 회계감사를 받게 되면 분명 이점도 존재한다.

첫째, 투자자, 금융기관 등 제삼자에게 제출하는 재무제표의 신뢰도가 높아진다. 일반적으로 회계자료를 만드는 건 전적으로 회사의 재량이기 때문에 제삼자 입장에선 회계 기록의 결과물인 재무제표가 제대로 작성되었는지 알 수 없다. 적어도 회계감사를 통해 적정의견을 득한 재무제표는 회계기준이 왜곡된 재무제표일 가능성이 적기 때문에 재무제표의 신뢰도가 높아지는 이점이 있다.

둘째, 내 회사에 대해 돌아볼 수 있다. 대부분의 스타트업은 생존이 최우선 과제이기 때문에 생존과 직접적으로 연관된 연구, 개발, 영업, 마케팅 등에 집중하고 회계, 자금 등 관리 업무를 등한시하는 경우가 많다. 따라서 경영진의 의도와 상관없이 회계자료가 잘못 만들어질 때가 있는데, 경영진은 이런 미비점을 회계감사를 받는 과정에서 파악하는 경우가 많다. 즉, 회계감사를 통해 회계업무 관리·감독 부재로 인한 큰 사고를 예방할 기회를 얻을 수 있다.

2. 스타트업 재무실사

Series A 투자를 앞둔 E사는 잠재적 투자자인 벤처캐피탈 L사로부터 재무
실사를 진행할 것이라는 이야기를 들었다. 재무실사가 처음인 E사는 재무
실사가 어떤 절차인지 궁금하다.

스타트업은 외부 투자 유치를 받기 위해 여러 절차를 거쳐야 한다. 투
자유치를 위한 여러 절차 중 하나가 바로 재무실사(Financial Due Dili-
gence)인데, 재무실사는 투자자 본인 혹은 외부 회계법인의 도움을 통해
진행한다. 문제는 스타트업 대다수가 재무실사를 경험해본 적이 없어 재
무실사를 앞두고 무엇을 준비해야 할지 헤매는 경우가 많다는 것이다.

재무실사의 정의

재무실사란 지분인수, 합병, 투자 등에 영향을 미치는 중요한 사실의
존재 여부 등을 파악하기 위해 영업성과, 재무상태, 현금흐름 등을 검토
하는 것을 말한다. 재무실사를 요구하는 투자자의 대부분은 지분투자

자 즉, 주주로서 참여하는 경우가 많으므로, 일반적인 재무실사는 주주 가치 관점에서 재무제표, 현금흐름, 내부통제, 핵심 영업 요소 등을 주요 실사 대상으로 한다.

재무실사의 목적

그럼 스타트업 재무실사의 목적은 무엇일까?

첫째, 대상 회사를 이해하기 위함이다. 회사 담당자와의 인터뷰 및 실사 자료 검토를 통해 회사에 대한 이해를 강화한다. 또한, 재무상태표, 손익계산서 등 재무제표를 구성하는 세부 항목에 대한 면밀한 검토를 통해 자산/부채의 실재성, 완전성을 확인한다. 그리고 겉으로 보이지 않는 계약관계, 소송사건 등에 대한 검토를 통해 투자자에게 위협으로 다가올 수 있는 우발부채 존재 여부를 파악한다.

둘째, 인수를 위한 정확한 가치평가를 위해서다. 스타트업의 가치는 단순하게 재무실사를 기반으로 한 일반적인 가치평가기법만으로 평가되는 경우는 많지 않다. 하지만 부실자산, 우발부채 등은 회사의 가치평가 및 인수조건에 영향을 주는 요소이므로 재무실사가 스타트업 가치평가에 영향을 미치지 않는다고 단언할 수는 없다.

셋째, 투자자의 위험을 경감하기 위함이다. 앞서 기술한 대상 회사에 대한 이해, 정확한 가치평가가 선행되지 않으면, 투자자의 투자위험이 증가한다. 위험 요소는 주주가치의 감소, 극단적으로 투자 실패라는 결과를 불러올 수 있다.

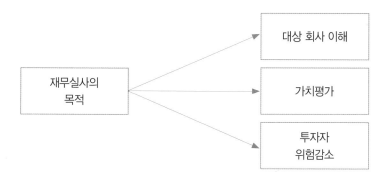

재무실사 과정

　재무실사는 투자자의 실사자 선정으로 시작한다. 투자자가 자체적으로 실사를 수행하기도 하지만, 외부 실사자인 회계법인 등을 선임하여 실사를 진행하기도 한다. 외부 회계법인을 선정하였다고 가정할 때, 선정된 실사자는 투자자 및 대상 회사와 함께 실사 일정을 협의하고 대상 회사에 재무실사를 위한 요청자료 목록을 전달한다.

　실사자는 자료를 검토하며 실사를 계획하고, 현장 방문 혹은 전화, 이메일 등으로 소통하며 실사를 진행한다. 또한 실사 중 발견사항을 투자자와 논의하고 발견사항이 투자자에게 미치는 영향을 평가한다. 최종적인 평가 결과는 실사보고서로 작성하여 투자자에게 전달하고 실사가 마무리된다.

실사 요청자료

실사를 앞둔 경영자, 실무자를 위해 일반적인 재무실사 요청자료 목록을 살펴보면 다음과 같다. 참고로 실사자 및 대상 회사에 따라 실사 자료 요청은 달라질 수 있다.

구분	항목	요청자료
1	일반사항	연혁, 정관, 사규, 회계지침서, 주주명부, 조직도, 법인등 기부등본, 사업자등록증, 재무제표, 분개장, 계정잔액명세서 등
2	금융자산	예적금 잔액증명서, 금융거래확인서, 금전소비대차계약서, 투자주식 취득명세 등
3	재고자산	재고 매입장, 재고자산수불부 등
4	유무형자산	감가상각명세서, 취득 · 처분 · 폐기 내역, 토지 · 건물 등 기부등본, 감정평가보고서, 보험가입내역, 특허권 · 상표권 등록현황 등
5	기타자산	리스 자산목록, 임대차계약서, 리스계약서 등
6	금융부채	매입채무 내역, 매입계약서, 차입금약정서, 차입명세서, 연차부채 계산내역, 미지급채무 등
7	기타부채	선수금, 선수수익, 예수금, 퇴직급여충당부채 계산내역 등
8	자본항목	증감내역, 기발행주식 현황 및 투자계약서, 배당내역, 스톡옵션 부여 현황 등
9	매출	매출장, 매출계약서, 매출채권 입금내역, 부가세신고서 등
10	매출원가	원가배부내역, BOM, 매입계약서 등
11	판매비와관리비	급여대장, 원천징수이행상황신고서, 임직원 보상제도, 퇴직금 제도, 경상연구개발비 세부내역 등
12	영업외수익 · 비용	국고보조금 협약서, 이자비용 산출내역, 기부금 내역 등
13	법인세 등	세무조정계산서 등
14	우발부채 등	법인인감사용대장, 소송사건 내역, 보증 · 담보 내역, 금융기관 약정사항, 주총 · 이사회 의사록, 국세 · 지방세 완납증명서 등
15	기타	사업계획서, 기간별 현금지출내역, IR자료, 핵심성과지표(KPI), 법인카드 발급현황 및 승인내역, 세무조사 내역 등

최근 재무실사 주요 체크포인트

재무실사는 회계처리뿐만 아니라, 투자 의사결정에 영향을 미치는 여러 재무관리 활동을 검토하는 업무다. 회계처리 외에 주요 재무실사 체크포인트를 꼽아보면 다음과 같으며, 체크포인트를 미리 확인하여 대비하도록 하자.

1) 자금통제 활동

최근 언론에 횡령사건이 잇따라 보도되며, 자금 통제활동에 대한 관심이 높아졌다. 스타트업에 투자하는 벤처캐피탈, 사모펀드 등 투자자들은 재무실사를 통해 스타트업의 자금통제 활동 검토를 강화하여 자금사고가 일어나지 않도록 대비하고 있다.

2) 현금창출 능력

회사 운영에 필요한 자금조달이 어려워지며, 당장 자금부족으로 생존위기에 처한 스타트업이 등장하기 시작했다. 이에 따라 투자자는 투자금에 의존하지 않고 스스로 살아남을 수 있는 기업을 선호하는 경향이 커지고 있다. 재무실사를 통해 단기간 내 현금을 창출하여 흑자전환할 수 있는 사업모델인지 꼼꼼하게 들여다보고 있다.

3) 비용 지출 내역

스타트업은 자금여력이 부족하기 때문에 불필요한 지출을 최소화하고 회사의 성장을 위해 효율적으로 자금을 사용해야 한다. 실사 과정에서 비용 지출내역을 검토하는 이유는 불필요한 지출을 파악할 목적뿐만 아니라 향후 투자가 진행되었을 때 투자금의 사용용도를 철저히 하기 위함이다.

4) 핵심인력에 대한 보상

스타트업에서는 핵심인력이 이탈하는 사례가 종종 발견된다. 특히 급여, 스톡옵션, 복지 등과 같이 보상에 불만을 가진 핵심인력이 투자유치가 끝난 직후 회사를 그만두는 사례도 심심찮게 보인다. 핵심인력의 존재가 투자자의 투자의사결정에 중대한 영향을 미치는 경우가 많은데, 투자 직후에 핵심인력이 이탈하면 투자자 입장에서도 굉장한 피해가 아닐 수 없다. 따라서 투자자는 재무실사를 통해 핵심인력에게 적정 수준의 보상이 이뤄지고 있는지 꼼꼼하게 확인하고 있다.

3. 추정손익계산서 작성

사례

Series A 투자유치를 앞둔 소프트웨어 개발업체 T사는 잠재적 투자자인 벤처캐피탈 K사에게 5개년 추정손익 자료를 제시해야 한다. 추정손익 자료를 만들어 본 적이 없는 T사의 대표이사는 어떻게 시작해야 할지 막막하다.

대다수의 스타트업은 기존에 없던 블루오션 사업에 진출, 성공을 목표로 한다. 즉, '0'에서 '1'을 만드는 혁신을 꿈꾸기 때문에, 누구도 현재 단계에서 그 사업의 미래를 알 수 없다. 따라서 해당 사업의 미래에 대해 제일 나은 방법을 동원하여 최대한 합리적으로 예측하는 것이 매우 중요하다. 예측자료는 흔히 사업계획서라고 불리는데, 사업계획서에 반드시 들어가는 자료가 바로 추정재무제표이다.

추정재무제표라고 하면 일반적으로 추정재무상태표, 추정손익계산서, 추정현금흐름표를 일컫는다. 그중 추정손익계산서 작성 요령에 대해서 알아볼 텐데, 추정재무제표 중 추정손익계산서 작성 요령만을 살펴보는 건 모든 추정재무제표를 만들기엔 스타트업의 지식과 자원이 한정적이라는 점, 추정손익이 회사의 성과를 가장 잘 나타낸다는 점, 그리고 경영자, 투자자 등 이해 관계자가 의사를 결정하는데 가장 큰 영향을 준다는 점 때문이다.

추정손익계산서 작성 요령

추정손익계산서는 3~5개년 추정이 기본이다. 아직 미래 사업계획이 확정되지 않았다면 사업계획을 먼저 수립하자. 사업계획이 세워졌다는 전제하에 추정손익계산서 작성 요령을 설명하면 아래와 같다.

1) 손익계산서 계정과목에 대한 이해

회사마다 중요한 계정과목이 다르다. 예를 들어 매출액이 광고선전비에 비례하는 유통회사라면, 매출액의 크기에 따라 광고선전비가 변동하므로 광고선전비가 중요하다. 많은 제품을 제조해야 하는 제조업의 경우, 시설투자 및 인력 확충 계획이 중요하므로 관련 비용인 감가상각비, 급여가 중요하다. 즉, 내 회사의 사업모델에서 중요한 계정과목이 무엇인지 파악해야 한다. 유사한 사업을 영위하는 동종 회사가 있다면, 그 회사의 재무제표를 활용하는 것도 하나의 방법이다.

- 매출액 관련 계정과목 : 광고선전비, 운반비, 영업부 인건비 등
- 시설투자 관련 계정과목 : 감가상각비, 인건비 등
- 연구개발 관련 계정과목 : 경상연구개발비, 외주용역비, 인건비 등

2) 계정과목별 추정 방법

가) 매출

매출은 추정손익계산서 작성에 있어 가장 중요한 부분이다. 매출은 비용(매출원가, 판매관리비)에 영향을 줄 뿐만 아니라, 기업가치를 추정하는 데에도 영향을 주기 때문이다. 즉, 외부 이해관계인 입장에서는 매출을 가장 중요하게 볼 수밖에 없기 때문에, 경영자는 매출추정 방법에 대해 깊은 고민을 해봐야 한다.

매출추정 방법은 하향식과 상향식 추정방법으로 나뉘는데, 먼저 상향식 추정방법에 비해 쉽게 접근 가능한 하향식 추정방법에 대해 알아보도록 하자.

매출액은 '가격(P) X 수량(Q)'이므로, 가격과 수량을 추정하면 추정매출액을 계산할 수 있다. 판매제품(혹은 서비스)에 대한 가격은 기존 시장 판매가격을 고려하여 결정한다. 유사재화 혹은 유사서비스 시장가격의 하한과 상한을 확인하여, 그 범위에서 크게 벗어나지 않도록 결정하는 것이 바람직하다. 수량 추정을 위해서는 회사가 속한 산업군 전체의 시장 규모를 파악하는 것이 중요하다. 그다음 시장에서 판매되고 있는 전체 물량 중 회사가 목표로 하고 있는 점유율을 설정한다. 목표점유율을 설정할 때는 시장의 지속성과 성장가능성 모두를 고려한다.

상향식 추정방법은 하향식 추정방법과는 대조적으로 아래에서 위로 올라가는 방식을 보여준다. 세부 고객별로 수요를 합산하여 전체 매출을 예측하는 방식이기 때문에 하향식 매출추정 방식보다 예측하는데 있어 정확성이 높다. 다만, 하향식 추정방법에 비해 작성 시간이 오래 걸리고, 새로운 시장개척을 준비하는 회사 입장에서 세부 고객들의 수요파악이 쉽지 않을 수 있다.

[T사 매출액]

(단위 : 만원)

구분	2024년	2025년	2026년	2027년	2028년
매출	11,000	26,000	84,000	292,000	752,000
OOO 제품	10,000	21,000	44,000	92,000	192,000
판매가격(P)	100	105	110	115	120
판매수량(Q)	100	200	400	800	1,600
예상 시장규모	100,000	105,000	110,000	115,000	120,000
예상 점유율	0.1%	0.2%	0.4%	0.7%	1.3%
▲▲▲ 제품	1,000	5,000	40,000	200,000	560,000
판매가격(P)	20	50	200	500	700
판매수량(Q)	50	100	200	400	800
예상 시장규모	2,000	2,100	2,200	2,300	2,400
예상 점유율	2.5%	4.8%	9.1%	17.4%	33.3%

나) 매출원가

매출원가는 매출금액에 직접적으로 대응되는 비용이다. 매출원가는 회사의 제품과 서비스 가격설정 그리고 시장에서의 경쟁력에 영향을 주기 때문에 정확하게 설정하는 것이 중요하다.

매출원가는 노무비, 재료비, 기타경비로 나뉜다. 매출원가를 추정할 때는 앞선 3가지 항목으로 나누어 분석하길 바란다. 나누어 분석하게 되면 분석 과정에서 낭비되고 있거나 비효율적으로 생산·제공되고 있는 부분을 발견할 수 있기 때문이다.

항목별로 살펴보면 먼저 노무비는 제품과 서비스의 생산에 직접적으로 참여하는 인원의 인건비를 의미한다. 노무비에는 생산담당인원의 인건비만 포함되어야 하며, 지원담당인원(총무, 회계, 법무 등)의 인건비가 반영되지 않도록 유의해야 한다.

재료비는 제조업에서 주로 발생하며 제조에 직접 사용되는 원료, 재료, 포장지 등으로 구성된다.

기타경비는 생산 혹은 서비스 제공과정에서 발생하는 배송, 전력비, 감가상각비, 임차료 등 노무비와 재료비에 해당하지 않는 비용으로 구성된다.

[T사 매출원가]

(단위 : 만원)

구분	2024년	2025년	2026년	2027년	2028년
매출원가	4,700	9,400	18,800	37,600	75,200
OOO 제품	3,500	7,000	14,000	28,000	56,000
노무비	1,000	2,000	4,000	8,000	16,000
재료비	500	1,000	2,000	4,000	8,000
기타경비	2,000	4,000	8,000	16,000	32,000
▲▲▲ 제품	1,200	2,400	4,800	9,600	19,200
노무비	200	400	800	1,600	3,200
재료비	100	200	400	800	1,600
기타경비	900	1,800	3,600	7,200	14,400

다) 판매비와관리비(이하 '판관비')

판매비와관리비는 영업활동과 관련된 비용을 의미한다. 매출원가가 매출활동과정에서 직접적으로 발생하는 비용이라면, 판매비와관리비는 회사 운영에 필요한 기타 비용이라고 이해하면 된다.

판매비와관리비는 인건비, 변동비, 고정비, 연구개발비, 상각비 등으로 나누어 추정한다.

(1) 인건비

인건비 급여, 상여, 4대보험, 복리후생비 등으로 구성되며, 추정 산식은 '1인당 인건비(P) X 인원수(Q)'이다. 매출원가의 노무비가 매출의 발생과 직접적으로 연관된 생산인력, 용역서비스 제공인력 등에 대한 인건비라면, CEO, 인사, 총무, 행정 등 관리인력에 대한 인건비는 판관비에 해당한다. 통상적으로 과거 3개년 인건비를 활용한 1인당 인건비에 연간 인건비 상승률을 곱하여 1인당 인건비를 추정한다.

그 다음 회사가 사업계획에서 세웠던 연도별 인력계획에 1인당 인건비를 곱하면 인건비를 추정할 수 있다. 참고로 인건비를 별도로 분류하지 않고 변동비와 고정비에 포함하기도 한다.

(2) 변동비

변동비는 매출액, 생산량 등 특정 요소의 증감에 따라 변동되는 비용 항목이다. 제품을 판매함에 따라 운송비가 증가하는 회사라면 운송비를 매출액에 비례하는 변동비로 구분할 수 있다. 반면 특정 요소의 증감과 관계없이 운송비가 발생하는 회사라면, 그 회사의 운송비는 변동비가 아닐 수 있다. 운송비 외에도 수도·광열비, 지급수수료, 광고선전비와 같은 항목이 상황에 따라 변동비로 분류될 수 있다. 요약하면 변동비를 움직이는 원가동인을 추정하고 해당 원가동인의 증감에 따라 변동비가 발생하도록 하면 된다.

(3) 고정비

고정비는 특정 요소의 증감에 비례하는 모습은 보이지 않고, 일정하게 지출되는 비용항목이다. 일반적으로 매출과 생산량이 크게 관련이 없는 사무실 임차료, 세금과공과금 등이 고정비에 속한다. 물론 임차료, 세금과공과금 등도 회사의 개별특성에 따라 변동비나 매출원가로 분류될 수 있다.

(4) 연구개발비

연구개발 활동이 매우 중요한 바이오, IT 회사 등은 연구개발에 드는 연구재료비, 인건비, 시험비 등이 비용에서 큰 비중을 차지한다. 따라서 연구개발비가 중요한 회사의 경우 추정손익계산서에서 연구개발비를 별도로 구분하여 표시하는 것이 필요하다.

추정을 위해서는 먼저 연구개발비를 연구재료비, 인건비, 시험비 등 큰 분류로 나눈 뒤, 세부 항목을 추정하는 것이다. 인건비, 변동비, 고정비를 추정할 때와 같은 방법으로 계산하면 된다.

(5) 상각비(감가상각비 혹은 무형자산상각비)

상각비는 영업 및 생산을 위해 건물, 기계장치, 시설장치, 비품, 특허권 등 고정자산에 투자하며 발생하는 비용항목이다. 실제 손익계산서를 작성할 때는 자산별로 내용연수(사용기간)가 상이하기 때문에 상각방법과 그 기간별로 각각 상각비를 계산해야 하지만, 추정손익계산서를 작성할 때는 상각비를 쉽게 추정하기 위해 투자시점, 투자금액, 상각방법, 상각 내용연수를 단순화하여 추정한다.

[T사 판매관리비]

(단위 : 만원)

구분	2024년	2025년	2026년	2027년	2028년
판매관리비	107,460	112,010	127,490	161,470	240,820
(1) 인건비	4,150	6,225	10,375	14,525	20,750
급여(=인원수X1인당 급여)	3,000	4,500	7,500	10,500	15,000
인원수	10	15	25	35	50
1인당 급여	300	300	300	300	300
퇴직급여(=급여/12)	250	375	625	875	1,250
인건비성경비(=급여X30%)	900	1,350	2,250	3,150	4,500
(2) 변동비	1,760	4,160	13,440	46,720	120,320
광고선전비(=매출액X10%)	1,100	2,600	8,400	29,200	75,200
OOO 제품	1,000	2,100	4,400	9,200	19,200
▲▲▲ 제품	100	500	4,000	20,000	56,000
외주용역비(=매출액X5%)	550	1,300	4,200	14,600	37,600
운송비(=매출액X1%)	110	260	840	2,920	7,520
(3) 고정비	100,700	100,850	101,050	101,250	101,500

구분	2024년	2025년	2026년	2027년	2028년
감가상각비 (=시설투자금액의 5%)	100,000	100,000	100,000	100,000	100,000
시설투자계획	2,000,000	–	–	–	–
임차료(=인원수X10)	100	150	250	350	500
지급수수료 (매년 100씩 상승 가정)	500	600	700	800	900
기타(매년 100 가정)	100	100	100	100	100
(4) 연구개발비	2,000	2,500	5,500	3,000	4,000
재료비 (=프로젝트 총예상비용X30%)	600	750	1,650	900	1,200
연구비(=프로젝트 총예상비용X70%)	1,400	1,750	3,850	2,100	2,800
프로젝트A 총예상비용	2,000	2,500	3,000	–	–
프로젝트B 총예상비용	–	–	2,500	3,000	4,000

라) 영업외수익 · 비용

영업외수익 · 비용은 기업에서 발생한 수익 또는 비용이지만 발생원인이 영업활동과 무관한 항목이다. 대표적인 영업외수익 · 비용으로는 차입금 이자비용과 예적금 이자수익이 있다. 일반적으로 영업외수익 · 비용은 추정손익계산서에서 고려하지 않는다. 하지만 영업외수익 · 비용이 손익 추정에 중대한 영향을 미칠 것이라고 예측되는 상황에서는 추정손익계산서에 반영하기도 한다.

[T사 요약 추정손익]

(단위 : 만원)

구분	2024년	2025년	2026년	2027년	2028년
매출액	11,000	26,000	84,000	292,000	752,000
매출원가	4,700	9,400	18,800	37,600	75,200
매출총이익	6,300	16,600	65,200	254,400	676,800
판매관리비	107,460	112,010	127,490	161,470	240,820
영업이익	(101,160)	(95,410)	(62,290)	92,930	435,980

추정손익계산서도 결국 손익계산서이기 때문에, 회계적인 배경지식이 아예 없다면 작성하는 게 쉬운 일은 아니다. 하지만 추정손익계산서는 투자를 위해 반드시 필요한 자료이므로 차근차근 작성해보도록 하자.

4. 관리회계

사전적 의미의 회계는 개인이나 기업의 경제 활동 상황을 일정한 계산 방법으로 기록하고 정보화하는 것이다.[27] 우리가 흔히 말하는 회계는 개인이나 기업의 경제적 거래를 일정한 계산 방법인 기업 회계 기준에 따라 재무제표, 손익계산서 등의 형태로 기록하여 회계 정보 이용자에게 전달하는 정보 시스템을 말한다.

기업의 회계 정보 이용자는 기업 내부와 외부 이용자로 나뉘는데, 내부 이용자는 주로 기업 내부에서 근무하는 경영진을 비롯한 임직원, 외부 이용자는 외부 투자자, 채권자, 정부 기관 및 기타 외부 관계자를 말한

---

27) 네이버 사전. URL : https://ko.dict.naver.com/#/entry/koko/7592a262123647359f2
395549e9ea0dc

다. 이때 경영진 등 내부 이용자가 경영 의사 결정을 하기 위한 회계 정보를 제공하는 회계, 즉 내부 보고 목적의 회계를 관리회계라고 하며, 외부 이용자가 경제적 의사 결정을 하기 위한 정보를 제공하는 회계, 즉 외부 보고 목적의 회계를 재무회계라고 한다. 스타트업 경영을 위해서는 재무회계뿐만 아니라 관리회계를 잘 준비하는 것도 중요하다.

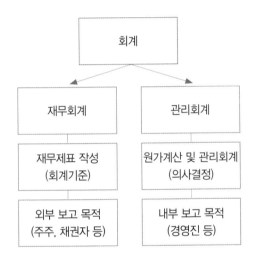

관리회계가 중요한 이유와 활용 사례

관리회계가 중요한 이유는 다음과 같다.

첫째, 원하는 형태의 회계 자료를 작성할 수 있기 때문이다. 관리회계는 IFRS, 일반기업회계기준 등 회계 기준에 의해 작성된 재무제표에서는 파악할 수 없는 다른 관점의 회계 자료를 제공한다. 소프트웨어를 개발 및 판매하는 A사를 예로 들자. A사의 고객은 A사의 소프트웨어를 이용하기 위해 이용권을 구매한다. 재무회계 기준에 따르면 A사는 소프트웨어 이용권 결제 금액을 고객의 이용 기간 동안 나누어 매출로 인식해야 한다. 하지만 A사의 경영자는 의사 결정을 위해 이용권 결제 금액, 즉 현금 유입 기준으로 정리된 자료가 더 중요하다고 판단해, 회계 기준과 별개로 이용권 매출이 현금 기준으로 작성된 관리회계 자료를 작성하였다. 아래 표에서 볼 수 있듯이 기간별 영업실적 추이를 파악해 경영 의사 결정을 내리기 위해선, 재무회계(발생주의) 자료보다 고객의 결제시기를 기준으로 작성된 관리회계(현금주의) 자료가 더 의미 있을 수 있다.

작성기준	구분	1월	2월	3월	4월	5월	6월	7월
재무회계(발생주의)	매출액	400	400	400	400	400	500	600
관리회계(현금주의)		1,000	1,000	200	500	600	100	600

작성기준	구분	8월	9월	10월	11월	12월	합계
재무회계(발생주의)	매출액	500	500	300	400	200	5,000
관리회계(현금주의)		500	400	100	–	–	5,000

둘째, 의사 결정에 유용한 정보를 제공해주기 때문이다. 앞서 예를 든 A사의 경영자는 판매 중인 소프트웨어 종류별로 수익과 비용이 얼마인지 확인하고 싶었다. 재무 팀을 통해 자료를 정리해보니, 판매량이 가장 많은 ★★★의 수익률이 5가지 소프트웨어 중 가장 낮은 것으로 확인되었다. A사는 ★★★에 가장 많은 광고비를 지출하고 있었는데, 알고 보니 ★★★가 수익률이 저조한 제품이었던 것이다. 이 사실을 알게 된 A사의 경영자는 ★★★의 광고비를 낮추고, 수익률이 높은 다른 소프트웨어의 광고 활동에 집중하기로 결정했다.

소프트웨어명	출시일	수익	비용			이익	이익률
		매출	매출원가	광고비	기타수수료	수익-비용	이익/수익
★★★	2018년	350	200	50	70	30	9%
♣♣♣	2020년	200	100	30	10	60	30%
○○○	2021년	160	75	20	15	50	31%
▲▲▲	2022년	100	20	10	20	50	50%
♥♥♥	2023년	50	10	5	5	30	60%

셋째, 성과평가와 자원관리에 유용한 정보를 제공하기 때문이다. A사는 1사업부부터 3사업부까지 총 3개의 사업부가 존재한다. A사는 사업부별 성과평가를 통해 인센티브를 지급하고 있는데, 인센티브를 산정하는 공식은 다음과 같다.

인센티브 = 각 사업부의 이익 X (각 사업부의 이익률 − 25%)
(단, 사업부의 이익률이 25%에 미달할 경우 인센티브는 없는 것으로 한다.)

사업부명	수익	비용		이익	이익률
	매출	인건비	연구개발	수익-비용	이익/수익
1사업부	400	200	100	100	25%
2사업부	200	80	75	45	23%
3사업부	260	125	60	75	29%

사업부명	이익	이익률−25%	인센티브
1사업부	100	0%	−
2사업부	45	−2%	−
3사업부	75	4%	3

인센티브 지급을 위한 성과 평가 결과는 위 표와 같다. 결론적으로 3사

업부를 제외한 나머지 사업부는 인센티브 조건을 달성하지 못해 인센티브를 받을 수 없었다. 이처럼 관리회계는 개인, 조직, 제품 등 특정 단위의 성과를 평가하는데 효과적이다. 또한 A사의 경영자는 성과 평가 결과를 보고받은 후 1, 2 사업부의 구조 조정을 통해 수익률을 개선하였고, 3 사업부에는 기존보다 더 많은 광고비, 인건비 등을 투입하여 이익을 극대화할 수 있었다.

5. 현금흐름 관리
– 런웨이, 번레이트

바이오 스타트업 U사는 3억 원의 현금성 자산을 보유하고 있다. U사의 대표이사 D씨는 자금조달이 쉽지 않은 현 상황에서 회사가 얼마나 버틸 수 있을지 고민이다.

런웨이(Runway)와 번레이트(Burn rate) 관리 활동은 스타트업에게 중요한 업무이다. 본래 런웨이는 비행기가 이륙하는 활주로라는 뜻인데, 스타트업 생태계에서는 비행기가 활주로가 끝나기 전에 이륙해야 한다는 점에서 착안하여 자금이 소진되기까지 걸리는 시간이라는 의미로 사용된다. 즉, 런웨이는 스타트업의 생존 가능 기간을 말한다. 번레이트는 시간이 지남에 따라 현금을 얼마나 빠르게 소비하는지를 나타내는 용어로 매월 지출하는 비용을 의미한다. 번레이트는 수입에서 지출 비용을 차감한 네트 번레이트(Net burn rate)와 수입을 고려하지 않고 매월 지출하는 비용만을 의미하는 그로스 번레이트(Gross burn rate)로 나뉜다.

런웨이와 번레이트 관리가 중요한 이유

런웨이와 번레이트 관리가 중요한 이유는 사업을 유지하고 적절한 시기에 확장하기 위해선 자금관리가 필수이기 때문이다. 자금조달이 어려운 환경에서 자금을 너무 빨리 소진하면 회사가 문을 닫아야 할 위험에 처할 수 있고, 반대로 너무 천천히 사용하면 성장 속도가 더뎌 경쟁에서 뒤처질 위험이 있다. 따라서 적정 수준의 런웨이와 번레이트 관리는 매우 중요하다.

런웨이와 번레이트를 구하는 방법

$$런웨이 = \frac{보유\ 현금}{번레이트}$$

런웨이를 구하는 공식은 위와 같으며, 보유 현금과 번레이트를 구하면 런웨이를 계산할 수 있다. 일반적으로 런웨이와 번레이트를 구하기 위한 방법은 아래와 같다.

첫 번째, 과거 지출내역을 정리해야 한다. 정리 방법은 여러 가지가 있겠지만, 그중 한 가지 방법은 재무제표를 참고하며 정리하는 것이다. 다만 번레이트는 실제 현금흐름을 기준으로 작성해야 하므로 발생주의로 작성된 재무제표 자료를 그대로 이용하면 현금주의로 작성했을 때와 다를 수 있다. 따라서 재무제표는 참고자료로만 활용하고, 과거 지출내역은 예금계좌 거래내역을 바탕으로 정리하는 걸 추천한다. 다만, 발생주의와 현금주의가 거의 일치하는 경우, 재무제표 회계자료를 그대로 이용해도 된다. 아래 그림은 과거 지출내역을 정리한 예시 자료다.

(단위:백만원)	실적(과거) 23년 5월
수입	32
A제품 판매	20
B제품 판매	12
지출	560
급여	100
복리후생비	20
연구개발비	300
광고선전비	30
수수료	50
이자비용	20
외주용역비	10
기타	30

두 번째, 사업계획을 작성해야 한다. 현재가 아닌 미래시점의 번레이트를 예측하려면, 미래 사업계획을 최대한 자세하게 작성해야 한다. 만약 인건비를 추정한다면 인원 확충계획이 어떻게 될지 월별로 정리한 후, 과거 지출내역과 임금 상승률을 고려해 월별 인건비를 계산하면 된

다. 과거 지출내역을 먼저 정리하라고 했던 이유가 바로 여기에 있다.

세 번째, 미래 지출 예상 금액을 기간별/항목별로 정리한다. 실제 지출내역과 기간별 지출 예상 금액을 정리하자. 가능하다면 수입도 정리하는 걸 추천한다. 아래 그림에서 '23년 5월'은 과거 지출내역이고, '23년 6~12월'은 과거 지출내역과 사업계획을 바탕으로 작성한 추정치이다.

(단위:백만원)	실적(과거) 23년 5월	예상 6월	예상 7월	예상 8월	예상 9월	예상 10월	예상 11월	예상 12월
수입	32	40	16	24	48	80	72	88
A제품 판매	20	25	10	15	30	50	45	55
B제품 판매	12	15	6	9	18	30	27	33
지출	560	631	637	643	650	656	663	670
급여	100	101	102	103	104	105	106	107
복리후생비	20	20	20	21	21	21	21	21
연구개발비	300	360	364	367	371	375	378	382
광고선전비	30	33	33	34	34	34	35	35
수수료	50	53	53	54	54	55	55	56
이자비용	20	20	20	20	21	21	21	21
외주용역비	10	11	11	11	11	11	12	12
기타	30	33	33	34	34	34	35	35

네 번째, 번레이트와 런웨이를 계산한다. 아래 그림은 수입까지 고려한 네트 번레이트(Net burn rate) 계산 예시이다. 23년 6월말 현금 3,881 백만원을 번레이트 (-)591백만 원으로 나누면 23년 6월 기준, 런웨이는 약 7개월로 계산된다.

(단위:백만원)	실적(과거) 23년 5월	예상 6월	예상 7월	예상 8월	예상 9월	예상 10월	예상 11월	예상 12월
수입	32	40	16	24	48	80	72	88
A제품 판매	20	25	10	15	30	50	45	55
B제품 판매	12	15	6	9	18	30	27	33
지출	560	631	637	643	650	656	663	670
급여	100	101	102	103	104	105	106	107
복리후생비	20	20	20	21	21	21	21	21
연구개발비	300	360	364	367	371	375	378	382
광고선전비	30	33	34	34	34	33	35	35
수수료	50	53	53	54	54	55	55	56
이자비용	20	20	20	20	21	21	21	21
외주용역비	10	11	11	11	11	11	12	12
기타	30	33	33	34	34	34	35	35
Burn rate (=수입-지출)	(528)	(591)	(621)	(619)	(602)	(576)	(591)	(582)
월초 현금	5,000	4,472	3,881	3,260	2,641	2,039	1,463	872
월말 현금	4,472	3,881	3,260	2,641	2,039	1,463	872	290
Runway(=월말 현금/Burn rate)	8	7	5	4	3	3	1	0

런웨이와 번레이트를 정리하였다면 그 다음 해야 할 일은 무엇일까? 현금이 다 떨어지지 않도록 불필요한 지출을 줄이고, 런웨이와 번레이트를 투자, 자금조달 등 경영 의사결정에 활용하는 것이다. 작성만 해 놓고 활용하지 않으면 아무런 소용이 없다.

6. 플립(FLIP)의 이해와 실행

미국에 진출을 꿈꾸는 국내 스타트업 E사. E사는 미국으로 진출하여 본격적인 사업활동을 진행할 계획이다. E사는 미국 시장 사업이 활발해질 것으로 예상되어 향후 NASDAQ 상장까지 고려해 미국으로 본사를 이전하고자 한다. E사가 미국에 진출할 수 있는 방법은 무엇이 있을까?

최근 해외시장으로 진출하려는 국내 스타트업이 늘어나고 있다. 일반적으로는 해외시장 진출을 위해 해외법인 설립을 통한 직접 투자방식이나 해외기업을 인수 · 합병하는 방식을 사용한다. 하지만 2021년 중 KOTRA가 해외 한인 스타트업 198개 사를 대상으로 조사한 결과에 따르면, 국내에서 창업한 기업이 해외로 본사를 이전하는 플립(FLIP)이 전체 해외시장 진출 방식의 8.6%를 차지하며 스타트업의 새로운 해외 진출 방식으로 떠오르고 있다.

스타트업이 플립(FLIP)을 하는 이유?

플립이란 국내에서 사업을 영위하고 있는 법인이 외국으로 본사를 옮

기는 것을 의미한다.[28] 스타트업이 플립 방식을 통해 해외로 진출하는 이유는 다음과 같다.

1) 해외 현지 고객 확보

해외 현지 고객은 해외법인보다는 현지법인과 거래하는 것을 선호한다. 비즈니스의 세계화로 국경을 초월하여 비즈니스가 이뤄지고 있지만, 여전히 기업의 소재지에 따라 세금, 행정절차 등이 상이하고, 단순히 거래처의 국적이 다름으로써 검토해야 하는 문제가 있기 때문이다. 스타트업의 비즈니스는 고객이 쉽게 받아들일 수 없는 경우가 많아 접근성을 용이하게 하는 것이 중요한데, 해외 고객이 재화나 서비스를 이용하기 전부터 행정절차 때문에 서비스를 이용하지 않는 경우가 생긴다면 이는 아주 큰 장애물이라고 할 수 있다. 따라서 해외 현지 고객을 확보하기 위한 한 가지 방법으로써 해외현지로 본사를 이전하려는 기업이 많아지고 있다.

2) 투자의 용이성

해외 액셀러레이터, 벤처캐피탈, 사모펀드 등은 자국 소재 기업보다 해외 소재 기업에 투자검토할 때 더 많은 자원이 투입된다. 자국 내 수많은 스타트업을 뒤로한 채 해외에 있는 기업에 투자하려면 언어, 법률, 시

---

28) 이진석, 최홍순, 서지연(2023). 플립 제도의 현황과 효용에 대한 분석. 한국벤처투자 벤처금융연구소

간 등 자국 기업 투자검토 시 필요하지 않았던 많은 자원이 투입되어야 한다. 즉, 같은 사업 모델이라면 투자자는 해외기업보다 자국기업에 투자하는 것이 더욱 용이하다.

3) 기업가치 극대화

미국 투자자는 동일한 서비스를 제공하는 미국기업과 한국기업의 가치를 다르게 평가할 수 있다. 본사 소재지가 (+)의 가치를 만들어내진 않지만 소재지 때문에 평가절하되는 걸 막기 위함이다.

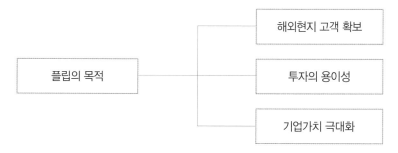

플립의 가장 큰 장애물, 세금

플립을 하기 위해선 플립 구조, 현지에서 서비스 제공 가능 여부, 계약서 작성, 세금 등 다양한 부분을 모두 검토해야 한다. 여기서는 여러가지 검토사항 중 플립의 가장 큰 걸림돌인 세금에 대해 이야기해 보려고 한다. 플립 형태는 기업의 상황에 따라 상이하므로, 가장 일반적인 한국법인의 주주가 해외 신설법인에 한국법인 주식을 현물출자하는 방식을 가정하고 설명하겠다.

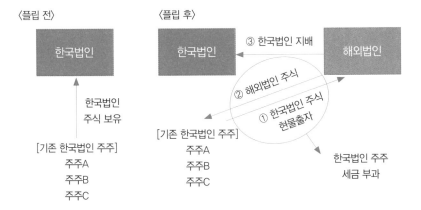

〈플립 전〉

한국법인

한국법인
주식 보유

[기존 한국법인 주주]
주주A
주주B
주주C

〈플립 후〉

한국법인 ── ③ 한국법인 지배 ── 해외법인

② 해외법인 주식
① 한국법인 주식 현물출자

[기존 한국법인 주주]
주주A
주주B
주주C

한국법인 주주
세금 부과

플립을 하게 되면 한국법인의 주주에게 세금이 부과될 수 있다. 기존 한국법인 주주는 플립 이후에 해외법인(본사)의 주식을 갖게 되는데, 국내 세법에서는 해외법인 주식을 취득한 대가로 한국법인 주식을 양도한 것으로 보아 한국법인 주주에 세금을 부과한다.

세금부과 기준이 되는 금액은 해당 거래와 유사한 상황에서 해당 법인이 특수관계인 외의 불특정다수인과 계속적으로 거래한 가격 또는 특수관계인이 아닌 제3자간에 일반적으로 거래된 가격을 시가로 보아 선순위로 적용하고, 시가가 존재하지 않을 경우 상증세법상 보충적평가방법으로 평가한 금액을 후순위로 적용한다.[29]

여기서 대부분 스타트업의 주식은 시가가 존재하지 않아 상증세법상 보충적 평가금액을 적용한다. 보충적 평가금액은 회사의 재무제표를 이용하여 산출된 자산가치와 손익가치를 가중평균하여 계산한다.[30] 보충

---

29) 법인세법 시행령 제89조 제1항, 상속세및증여세법 제63조 제1항 제1호
30) 상속세및증여세법 시행령 제54조

적 평가금액은 결국 재무제표 금액에 영향을 받게 되므로 플립 당시 재무제표가 어떤지가 중요하다. 즉, 플립을 어느 시점에 하느냐에 따라, 주주가 부담할 세금이 달라진다.

플립 시 세무와 관련하여 신경 써야 할 내용을 요약하면 다음과 같다.
1) 비상장 스타트업의 플립에서는 기존회사 주주의 세금이 가장 큰 걸림돌
2) 기존회사 주주의 세금을 결정하는 것은 기존회사 주식의 평가금액
3) 평가금액은 대부분 상증세법상 보충적평가방법에 의해 결정되므로 플립시점, 평가금액 등을 고려하는 것이 중요

7. IPO를 위한 회계관리

최근 신제품 개발에 성공한 소프트웨어 개발사 M사는 내년 하반기 IPO
가 목표다. M사의 대표이사 L씨는 증권사 IPO팀에서 근무하는 지인에게
IPO를 위해서는 미리 회계를 준비해야 한다는 이야기를 들었다. IPO 준
비에 관한 정보가 없던 L씨는 무엇을 준비해야 하는지 궁금하다.

스타트업에게 향후 목표가 무엇이냐고 물었을 때 대다수가 기업공개
즉, IPO(Initial Public Offering)라고 답한다. IPO는 비상장회사가 유가증
권시장 또는 코스닥시장과 같은 주식시장에 상장하여 일반 불특정 다수
투자자에게 주식을 공개매도하는 것이다. 그렇다면 스타트업이 IPO를
하기 위해서는 무엇을 준비해야 할까?

기업회계기준의 전환

주식회사 등의 외부감사에 관한 법률(이하 "외감법")에 따르면 상장법
인이거나 상장법인이 되려는 회사는 외부감사를 의무적으로 받아야 한
다[31]. 이때, 회계기준은 한국채택국제회계기준을 적용해야 하며[32], 외

부회계감사 적정의견을 받아야 한다. 즉, 기존에 일반기업회계기준을 적용했던 회사는 한국채택국제회계기준을 적용해야 하는데, 일반기업회계기준과 한국채택국제회계기준의 주요 차이점을 정리하면 다음과 같다.

구분	일반기업회계기준	한국채택국제회계기준
매출	재화의 판매는 인도기준, 용역의 제공은 진행기준에 따라 인식함	매출은 5단계 접근법에 의하여 수행의무의 이행시기에 걸쳐 인식함
금융자산	유가증권은 취득한 후에 만기보유증권, 단기매매증권, 그리고 매도가능증권 중의 하나로 분류함	기업회계기준에서 정하는 특성에 근거하여, 당기손익-공정가치 측정 금융자산, 기타포괄손익-공정가치 금융자산, 상각후원가 측정 금융자산 중 하나로 분류함
상환전환우선주 (RCPS)	자본으로 분류함	과거회계기준에 따라 자본으로 분류하였던 상환전환우선주와 전환우선주를 그 성격에 따라 부채요소와 자본요소로 분리하여 재측정함
주식매수선택권 (스톡옵션)	중소기업회계처리특례를 적용하는 경우 회계처리를 생략함	주식매수선택권의 공정가치를 측정하여 가득기간에 걸쳐 비용으로 인식함
리스	임차목적물에 대하여 운용리스 회계처리를 적용함	사용권자산 및 리스부채로 총액 표시함
퇴직급여	일시퇴직기준을 적용하여 확정급여채무를 계산함	확정급여채무에 대하여 보험수리적 방법으로 평가함
유형자산	유형자산을 정률법 혹은 정액법으로 감가상각함	유형자산을 정액법으로 감가상각함
법인세	중소기업회계처리특례를 적용하는 경우 이연법인세 회계처리를 반영하지 않음	이연법인세 회계처리를 반영함

---

31) 주식회사 등의 외부감사에 관한 법률 제4조 제1항
32) 주식회사 등의 외부감사에 관한 법률 시행령 제6조 제1항 제1, 2호

위와 같은 회계기준 전환은 재무제표에 많은 영향을 미친다. 또한, 전환작업 과정이 까다로워 대부분 외부 회계법인의 도움을 받아 회계기준을 변경한다.

지정감사

거래소에 상장하고자 하는 국내기업은 상장 전년 또는 당해 연도에 감사인 지정을 신청해야 한다.[33] 한국채택국제회계기준으로 변환된 재무제표를 작성한 후에는 IPO지정 회계감사에서 적정의견을 받아야 한다. 그런데 과거 회계감사에서 적정의견을 받았을지라도 IPO 회계감사에서 비적정의견을 받는 경우가 있다. IPO 회계감사는 금융감독원이 회계감사인을 지정하므로 회사가 자유롭게 회계감사인을 선임하여 진행했던 회계감사에 비해 훨씬 더 원칙에 부합하는 감사를 수행하기 때문이다. 지정감사는 주로 4대 회계법인(삼일, 삼정, 안진, 한영)이나 규모가 있는 로컬 회계법인에 배정되는데, 회계가 제대로 관리되어 있지 않은 회사는 지정감사인에게 적정의견을 받지 못해 수년간 고생하기도 한다.

내부회계관리제도 구축

내부회계관리제도란 재무보고에 관련된 회계정보 작성과 공시의 신뢰성 확보를 위해 회사내부에 구축한 통제시스템이다. 내부회계관리제도 구축이 IPO를 위한 필수요건은 아니지만, 실무적으로 원활한 IPO 심

---

33) 한국거래소(2011). IPO를 위한 KRX상장심사 가이드북. 모스트디자인

사 통과를 위해 필요하다. 내부회계관리제도를 구축하는 기업은 신뢰할 수 있는 회계정보의 작성과 공시를 위하여 다음 사항이 포함된 내부회계 관리규정과 이를 관리 · 운영하는 조직을 갖춰야 한다.[34]

- 회계정보의 식별 · 측정 · 분류 · 기록 및 보고 방법에 관한 사항
- 회계정보의 오류를 통제하고 이를 수정하는 방법에 관한 사항
- 회계정보에 대한 정기적인 점검 및 조정 등 내부검증에 관한 사항
- 회계정보를 기록 · 보관하는 장부(자기테이프 · 디스켓, 그밖의 정보보존장치를 포함)의 관리 방법과 위조 · 변조 · 훼손 및 파기를 방지하기 위한 통제 절차에 관한 사항
- 회계정보의 작성 및 공시와 관련된 임직원의 업무 분장과 책임에 관한 사항
- 그밖에 신뢰할 수 있는 회계정보의 작성과 공시를 위하여 필요한 사항

내부회계관리제도 구축은 주로 회계법인에게 외주용역을 의뢰하여 진행한다. IPO를 위해서는 재무제표뿐만 아니라 내부회계관리라는 재무제표를 만드는 과정의 신뢰성도 확보해야 함을 명심하자.

---

34) 주식회사 등의 외부감사에 관한 법률 제8조 제1항

Lesson5

스타트업 경영에 필요한 세무정보

1. 비상장주식평가방법

사례

비상장 스타트업 D사의 대표이사 L씨는 회사의 성장에 기여한 CTO K씨에게 D사의 주식 일부를 양도할 예정이다. L씨와 K씨는 1주당 액면금액인 500원을 기준으로 주식양수도계약을 진행하려고 한다. 하지만 L씨는 평소 알고 지내던 S회계사로부터 500원으로 거래해서는 안 되며, 비상장주식 평가금액을 기준으로 거래해야 한다는 이야기를 들었다.

비상장주식평가의 중요성

증권거래소에 상장되어 있는 주식은 다수의 시장참여자에 의해 매매가 이뤄지고 있으며 손쉽게 주식의 거래내역과 시세 확인이 가능하다. 반대로 비상장회사의 주식은 일부 비상장거래소(예 : K-OTC)에서 거래되는 경우를 제외하면 거래가 어렵고 시세 또한 파악하기 쉽지 않다. 이러한 상황에서 많은 비상장회사가 지분양도, 가업승계, 스톡옵션의 부여 등 다양한 목적으로 주식을 활용하고 있는데, 주식의 평가금액에 따라 부과되는 세액이 달라지므로 주식가치를 정확하게 계산하는 것은 매우 중요하다.

비상장주식평가 방법

1) 보충적 평가방법

　비상장주식 평가의 원칙은 시가를 적용하는 것이다. 불특정다수인 사이 자유롭게 거래가 이뤄지는(소위 거래소에서의 거래) 경우 해당 거래 금액을 시가로 본다.[35] 하지만 비상장회사의 주식은 거래 건수가 많지 않고 대부분 특수관계자와의 거래이기 때문에 시가 정의를 충족하는 거래가 많지 않다. 이처럼 시가 확인이 어려운 경우, 세법에서는 상속세및 증여세법상 보충적 평가방법으로 평가하도록 규정하고 있다.[36]

　보충적 평가방법을 통한 평가금액은 순손익가치와 순자산가치를 모두 고려한 가중평균 방식으로 계산하고, 순자산가치의 80% 금액과 비교하여 큰 금액으로 평가한다.[37] 순자산가치는 재무제표를 상증세법에 의해 평가한 후 자산에서 부채를 차감한 금액을 의미한다. 순손익가치는 최근 3년간의 손익을 가중평균한 값을 계산하여 산출한다.

> 1주당 주식평가액 = Max [(1주당 순손익가치×3+1주당 순자산가치×2) /5,
> 순자산가치×80%]

일반법인

　다만, 부동산과다법인의 경우에는 기업의 가치가 순자산에 더욱 영향

---

35) 상속세 및 증여세법 제60조 2항
36) 상속세및증여세법 시행령 제54조
37) 상속세및증여세법 시행령 제54조 1항

을 받을 것이라고 보기 때문에 주당 순손익가치와 순자산가치의 가중평균 비율을 3대 2가 아닌 2대 3으로 계산한다.[38]

> **1주당 주식평가액 = Max [(1주당 순손익가치×2+1주당 순자산가치×3) /5, 순자산가치×80%]**

부동산 과다보유법인

한편, 가중평균 방식을 사용하지 않고 순자산가치만을 이용해 평가하는 경우도 있다.[39]

구분	사유
1	법인의 청산절차가 진행 중이거나 사업자의 사망으로 사업의 계속이 곤란 시
2	사업개시 전의 법인, 사업개시 후 3년 미만의 법인, 기준일 현재 휴, 폐업 법인
3	법인의 자산총액 중 부동산관련 자산 합계액이 차지하는 비율이 80% 이상
4	법인의 자산총액 중 주식 등의 가액의 합계액이 차지하는 비율이 80% 이상
5	평가기준일 현재 잔여 존속기한이 3년 이내인 경우

위 다섯 가지 중 하나에 해당하는 법인은 순손익가치를 계산할 필요가 없기 때문에 재무상태표만으로 회사의 주식 가치를 추정할 수 있다. 재무상태표의 자본총계를 발행주식수로 나누면 약식으로 주당 가격을 산출할 수 있다.

2) 매매사례가액을 이용한 평가

평가기준일 전 6개월부터 평가기준일 후 3개월 이내의 기간 중 해당 비

---

38) 상속세및증여세법 시행령 제54조 1항
39) 상속세및증여세법 시행령 제54조 4항

상장주식에 대한 매매 사실이 있는 경우 그 거래가액으로 평가 가능하다. 모든 매매가액을 인정하는 것은 아니며, 시세 조작을 방지하기 위해 다음 세 가지의 거래는 제외한다.[40]

구분	시가인정 제외 거래
1	특수관계자와의 거래
2	거래가액(액면가액의 합계액으로 산정)이 주식 발행법인 자본금의 1% 미만인 거래
3	거래가액(액면가액의 합계액으로 산정)이 3억원 미만인 거래

3) 유사상장법인의 주식가액을 이용한 평가

국세청 평가심의위원회를 통해 해당 법인과 유사한 상장법인과의 비교를 통해 주식의 가치를 산정하는 방법으로 보충적 평가방법의 사용이 힘들 때 적용할 수 있다.[41] 유사상장법인 기준이 까다롭고 업종과 규모에 있어서도 제한을 두고 있기 때문에 일반적으로는 잘 사용하지 않는 방법이다. 선정기준은 다음과 같다.[42]

구분	기준
1	상장일로부터 6개월이 경과한 회사일 것
2	최근 2년간 감사의견이 적정일 것
3	최근 2년간 경영에 중대한 영향을 미치는 사실이 없을 것
4	주당 경상이익과 순자산가액이 양수일 것
5	유사상장법인의 총자산가액이 비상장기업의 총자산가액의 5배 이내일 것
6	유사상장법인의 매출액이 비상장기업의 매출액의 5배 이내일 것

---

40) 상속세및증여세법 시행령 제49조 1항
41) 상속세및증여세법 시행령 제49조 8,9항
42) 재산평가심의위원회 운영규정 제3장

비교 대상으로 선정된 기업과 평가대상 비상장기업의 경상이익과 순자산가액을 가중평균한 값을 주식가액으로 정하는 방법이다.

4) 기타

보충적평가방법, 매매사례가액을 이용한 평가방법, 유사상장회사를 이용한 평가방법 외에 일반적으로 공정하다고 인정되는 비상장주식 평가방법에는 현금흐름할인법, 배당할인방법 등이 있다.

2. 법인세, 소득세, 원천세, 부가가치세란?

사례

3년차 스타트업 D사의 대표이사 N씨는 매년 법인세, 소득세, 부가가치
세와 같은 세금을 납부하고 있지만 각각 어떤 이유로 납부하는 세금인지
궁금해 D사의 세무대리인 K회계사에게 도움을 요청했다.

사업자는 그 해의 발생 소득에서 지출금액을 차감한 남은 금액에 대해
세금이 부과된다. 사업자의 형태는 개인사업자와 법인사업자로 구분되
며 각각의 사업자가 부담하는 세금은 비슷하면서도 조금은 다른 성격을
지니고 있어 이에 대해 알아보도록 하자.

법인세

법인사업자의 소득은 법인세법에 따라 과세된다. 다만, 모든 법인사업
자가 세금을 납부하는 것은 아니며 법인세법에 의해 납세의무를 지는 법
인을 나열하고 있다.

	법인의 종류
납세의무 O	내국법인, 국내원천소득이 있는 외국법인, 비영리법인의 영리사업
납세의무 X	국가, 지방자치단체, 비영리법인의 고유목적사업

이윤 추구를 목적으로 설립한 스타트업은 납세의무가 있는 법인에 해당한다. 납세의무가 있는 법인사업자는 회계연도 동안 발생한 수익에서 비용을 차감한 이익에 세율(9~24%)을 곱하여 법인세를 계산한다. 다만, 이 과정에서 회계기준으로 작성된 회사의 재무제표를 세법의 기준으로 조정하는 세무조정 작업을 진행해야 한다. 일반적으로 회사는 외부 회계/세무 전문가에게 의뢰하여 세무조정 및 법인세 신고 절차를 진행한다.

법인세의 신고 및 납부기간은 사업연도 종료일 이후 3개월 이내다. 대부분 법인들의 사업연도는 1월 1일부터 12월 31일이며, 수많은 회사의 법인세의 신고 및 납부가 3월에 집중되어 이뤄진다. 회사의 기장을 담당하는 회계법인, 세무법인 등이 매년 2~3월에 바쁜 이유는 바로 법인세 신고 때문이다.

개인소득세

개인사업자가 1월 1일부터 12월 31일까지 번 소득은 소득세법에 의해 과세되고 있다. 법인과 달리 개인소득세의 과세기간은 1월 1일부터 12월 31일로 명시하고 있다. 하지만 법인세법에서는 법인이 신고한 회계기간을 과세기간으로 하여 과세한다. 개인사업자가 부담하는 소득세와 법인이 부담하는 법인세의 가장 큰 차이는 세율이다. 법인세는 세율이

9~24%이며 개인의 경우 6~45%다. 최저세율은 법인소득세가 더 높지만 최고세율은 개인소득세가 더 높기 때문에 수입에 따라 사업의 형태를 결정하는 것이 세부담을 낮출 수 있는 방법이라고 할 수 있다. 개인소득세의 신고 및 납부기간은 매년 5월이다. 전년도의 소득에 대한 세금을 다음연도 5월 31일까지 계산하여 납부해야 한다.

원천세

원천세를 이해하기 위해서는 원천징수제도의 의미를 먼저 알아야 한다. 원천징수제도는 본래 소득자(납세의무자)가 납부해야 하는 세금을 소득을 지급하는 자가 징수하여 납부하는 절차를 의미한다. 소득자가 직접 납부하게 되면 절차가 번거로울 뿐만 아니라 모든 소득자가 제때 신고를 한다는 보장이 없기 때문에 소득을 지급하는 자로 하여금 대신 납부하게 하는 제도다. 원천징수를 해야 하는 소득의 종류는 이자소득, 배당소득, 사업소득, 근로소득, 연금소득, 기타소득, 퇴직소득으로 구성되며, 일반적으로 매월 납부해야 한다.

부가가치세

부가가치세는 사업자가 공급한 재화나 용역 금액의 10%를 과세하는 제도이다. 우리가 흔히 식당에서 음식을 먹을 때, 마트에서 장을 볼 때 지불하는 재화의 가격에는 모두 부가가치세가 포함되어 있다. 부가가치세는 특이하게 재화나 용역을 공급받는 사람(소비자)으로부터 세금을 징수하여 공급하는 자(사업자)가 납부하는 구조다.

사업을 하다보면 부가가치세 때문에 곤란을 겪는 경우가 종종 발생한다. 소비자로부터 수취한 대금에는 재화나 용역에 대한 대가와 부가가치세가 함께 포함되어 있기 때문에 해당 부가가치세는 사업자의 부채로 계상된다. 즉, 내가 잠시 보관하고 있다가 국가에 납부해야 하는 세금이다. 개인사업자의 경우 연 2회(간이과세자는 연 1회) 부가가치세를 신고, 납부할 의무가 존재하며, 법인사업자의 경우 매분기 부가가치세 신고, 납부할 의무가 있다.

이 때 부가가치세를 납부할 여유 현금이 없다면 납부시점까지 가산세가 적용되므로 납부기한을 잘 지켜야 한다. 실무적으로는 부가가치세를 고려하지 않고 모든 자금을 사용해 세금 납부에 어려움을 겪는 사례가 많다. 따라서 납부예정인 부가세만큼의 현금을 보유해야 함을 기억하자.

구분	법인세	종합소득세	원천세	부가가치세
의의	과세표준(수익-지출)에 대한 세금		소득을 지급하는 자가 소득을 받는 자 대신 미리 떼서 납부하는 세금	재화의 거래나 서비스의 제공과정에서 얻어지는 부가가치(이윤)에 대하여 과세하는 세금
납부 세액	과세표준의 9~24%	과세표준의 6~45%	간이세액표상의 금액	매출세액-매입세액
신고 납부 기한	과세기간 종료일 이후 3개월까지	매년 5월	매월 10일	1) 개인사업자 : 매년 반기 종료일 이후 25일까지 2) 법인사업자 : 매분기 종료일 이후 25일까지

3. 적격증빙의 의미와 종류

플랫폼 스타트업 W사는 고객사로부터 세금계산서를 받지 못하고 있다. 이는 고객사가 소득을 누락할 목적으로 현금거래를 원하기 때문이다. W사의 대표이사 L씨는 적격증빙인 세금계산서를 수취하지 못하면 어떻게 되는지 궁금하다.

사업체를 운영하면서 자주 듣게 되는 말 중에 '거래 시 적격증빙을 수취하라' 라는 말이 있다. 적격증빙의 의미가 무엇인지, 적격증빙 수취의 중요성에 대해서 알아보자.

적격증빙이란?

적격증빙의 사전적인 의미는 사업자가 지출한 비용에 대한 세법상 증빙서류를 의미한다. 대표적인 적격증빙으로는 세금계산서, 현금영수증 등이 있다. 사업자는 벌어들인 금액에서 지출한 비용을 제하고 남은 금액을 기준으로 세금을 납부하게 되는데, 세법에서는 사업과정에서 사용한 모든 비용을 인정해주지 않고, 적격증빙을 수취해야만 비용으로 인정해주고 있다.

적격증빙의 종류

1) 세금계산서

사업자가 물건을 판매하거나 서비스를 제공하고 상대방으로부터 거래를 하였다는 사실을 확인해주는 서류를 의미한다.

전자세금계산서				승인번호			
공급자	등록번호		종사업장번호	공급받는자	등록번호		종사업장번호
	상호(법인명)		성명		상호(법인명)		성명
	사업장				사업장		
	업태		종목		업태		종목
	이메일				이메일		
					이메일		
작성일자		공급가액		세액		수정사유	
비고							
월	일	품목	규격	수량	단가	공급가액	세액	비고
합계금액	현금	수표	어음	외상미수금	이 금액을 ( ) 함		

2) 계산서

부가가치세법상 과세되는 재화나 용역의 공급 시 세금계산서를 발급하고, 면세되는 재화나 용역을 공급할 때는 계산서를 발급한다. 작성 형태와 방법은 세금계산서와 유사하다.

3) 신용카드 매출전표, 현금영수증

모든 거래에서 세금계산서와 계산서를 발급하는 것은 불가능하기 때문에 신용카드 매출전표와 현금영수증을 적격증빙으로 인정하고 있다.

적격증빙이 없는 경우

대부분의 거래에서 적격증빙 수취가 가능하지만, 간혹 적격증빙을 수취할 수 없는 경우가 있다. 세법에서는 원칙적으로 적격증빙이 없으면 비용 인정이 안 되지만, 현실의 상황을 반영하여 몇 가지 예외사항을 규정하고 있다.

구분	기준	비고
접대비	3만원 이하	적격증빙 미수취시 비용인정 O
	3만원 초과	적격증빙 미수취시 비용인정 X
기타	3만원 이하	적격증빙 미수취시 비용인정 O
	3만원 초과	적격증빙 미수취시 비용인정 O 단, 증빙불비 가산세 적용

실제 사업을 위해 지출한 금액 중 소액 건(3만원 이하)은 지출 증빙을 제대로 갖추고 있지 않다고 하더라도 세법상 비용으로 인정된다. 이 경우 적격증빙이 아닌 간이영수증과 같은 기타 증빙만으로도 사업상 비용으로 처리할수 있다.

3만원 초과 거래 중(접대비 제외) 증빙을 갖추지 않은 거래들은 실제로 사업에 필요한 지출이었다는 것을 증명하면 비용으로 인정 가능하다. 하지만 사업에 필요한 지출이라는 것을 증명하는 것이 쉽지 않고, 적격증빙을 갖추지 않았기 때문에 거래금액 중 비용으로 인정된 금액의 2%를 가산세로 납부해야 한다[43].

사업자 등록 전 지출한 비용

1) 법인세와 종합소득세 신고 시 비용인정 여부

사업을 준비하는 많은 예비창업자가 사업자 등록 전에 지출한 비용이 사업자 등록을 완료한 후 비용으로 처리 가능한지 궁금해한다.[44]

결론부터 말하자면 창업 준비 중 지출하는 비용은 사업자의 비용으로 인정된다. 비용으로 인정받기 위한 조건은 다음과 같다.

가) 사업과 관련된 비용일 것

사업과 무관하게 지출한 비용은 인정되지 않는다.

나) 적격증빙을 수취할 것

지출한 금액에 대해서는 세금계산서 및 적격증빙을 수취해야 한다.

2) 부가가치세법상 매입세액공제여부

앞서 언급한 비용 인정여부는 사업자의 종합소득세 및 법인세법에서 비용으로 인정받기 위한 요건이다. 부가가치세 환급 즉, 매입세액공제를 받기 위해서는 반드시 해당 지출이 속한 과세기간 종료 후 20일 이내

---

43) 법인세법 제75조의 5
44) 법인세법 시행령 제4조 2항
45) 부가가치세법 제39조 1항 8호

에 사업자 등록을 신청해야 한다.[45] 또한 사업자 등록 전 지출 건에 대하여 세금계산서, 현금영수증, 신용카드매출전표 등 적격증빙을 받아야 한다.

[Q&A]

〈사례1〉

Q : 2023년 10월 20일에 사업자등록신청을 했을 경우, 사업자등록 이전인 2023년 3월 1일에 지출한 인테리어비용 100만 원은 사업자의 경비로 처리할 수 있나요?

A : 2023년 3월 1일에 지출한 인테리어비용 100만 원은 사업과 관련되어 있고, 적격증빙을 수취하시면 사업자의 2023년 경비로 처리하실 수 있습니다.

〈사례2〉

Q : 2023년 7월 20일에 사업자등록신청을 했을 경우, 사업자등록 이전인 2023년 3월 1일에 지출한 인테리어비용 100만 원은 매입세액공제가 가능한가요?

A : 사업자등록신청일로부터 20일 전인 2023년 6월 30일이 속하는 과세기간(2023년 1~6월)의 지출은 세금계산서를 발급받았을 경우에 한하여 매입세액공제가 가능합니다. 따라서 사업과 관련된 지출이라는 전제 하에 부가가치세 환급이 가능합니다.

〈사례3〉

Q : 사업자등록 전에 세금계산서 외 다른 적격증빙을 받은 경우에도 매입세액공제가 가능한가요? 그리고 사업자의 비용으로 처리가 가능한지도 궁금합니다.

A : 사업자등록신청일로부터 20일 전이 속한 과세기간에 지출한 건에 대해 세금계산서를 받았을 경우 부가가치세 매입세액공제가 가능합니다. 또한, 세금계산서가 아닌 신용카드 매출전표, 현금영수증을 수취하였더라도 사업자등록신청일로부터 20일 전이 속한 과세기간에 지출한 건에 대해서는 부가가치세 매입세액공제가 가능합니다. 법인세와 종합소득세 비용처리의 경우, 기간에 상관없이 사업과 관련있고 적격증빙이 있는 지출이라면 비용처리가 가능합니다.

4. 특수관계자와의 거래

사례

농산물 유통 스타트업 A사를 소유한 P씨는 농업회사법인 B사도 소유하고 있다. A사와 B사는 대표이사와 주주가 모두 P씨로 동일하다. B사는 A사의 고객사이며 A사와 B사는 매년 수억 원의 거래가 오가고 있다. P씨는 A사와 B사의 거래가 특수관계자와의 거래에 해당하여 불이익을 받게 되지 않을지 궁금하다.

　세금 관련 뉴스를 보면 '특수관계'라는 단어가 자주 등장하는 것을 볼 수 있다. 부모가 운영하는 회사와 자녀가 운영하는 회사 간 거래를 통해 자녀에게 증여를 하거나, 직접거래를 통해 이익을 나눠주는 경우가 그 대표적인 예다. 세법에서는 특수관계자와 거래함에 있어서, 소득과 조세를 부당하게 감소시키려는 행위를 부당행위라고 규정하고 있다. 소득에 대한 조세부담을 부당하게 감소시킨 것으로 인정되는 경우에는 해당 행위를 부인하고 법에 의해 소득금액을 독자적으로 계산하여 조세를 부과한다.

　다만, 특수관계에 있는 자와 행한 모든 거래를 부정하는 것이 아니고, 경제적 합리성이 존재한다면 정상적인 거래로 인정한다. 세법에서는 부당행위를 막기 위해 각 법마다 특수관계자의 범위, 정상적인 시가의 개념을 각각 정의하고 있는데, 그중 스타트업 현장과 가장 연관되어 있는 법인세법에서의 특수관계자의 범위 그리고 어떤 경우에 부당행위로 판정되어 불이익을 받게 될지 알아보자.

특수관계자의 범위

법인세법에서는 일방 또는 다른 일방의 입장에서 특수관계가 성립하면 서로 특수관계에 해당한다고 본다. 쉽게 말하면, 양 당사자 중 한쪽 입장에서 특수관계면 양 당사자는 서로 특수관계에 해당한다는 말이다.

특수관계 기준	설명
영향력 행사기준	해당 법인의 의사결정에 영향력을 행사하고 있는 자
비소액 주주 등	소액주주가 아닌 주주 또는 출자자(1% 이상 보유)
임직원, 생계유지자, 친족	법인의 임직원과 그 임직원과 함께 생계를 유지하는 자
지배력 영향 행사	법인의 경영에 영향을 주는 자(포괄규정)
2차 출자 법인, 개인	해당 법인에 30% 이상을 출자하고 있는 법인에 30% 이상 출자하고 있는 법인 또는 개인
기업집단 계열회사 및 임원	기업집단에 속하는 법인인 경우 기업집단에 소속된 다른 계열회사 및 그 계열회사의 임원

시가의 판단

거래 당사자와 상대방이 특수관계에 해당하는 경우, 그다음으로 고려해야 하는 것은 시가의 판단이다. 시가는 특수관계자가 아닌 정상적인 거래에서 적용될 것으로 판단하는 가격을 의미한다. 일반적으로 제3자 간의 거래 시 거래되는 가격이 시가라고 할 수 있다. 자산의 종류에 따른 시가의 적용방법은 다음과 같다.

구분	설명
주식	상장주식은 시가, 비상장주식은 상증법상 보충적평가액
가상자산	상장된 자산은 시가, 비상장자산은 상증법상 보충적평가액
금전의 대여, 차용	가중평균이자율 또는 당좌대출이자율
이외	시가를 우선적용하고 차순위로 감정가액과 상증법상 보충적 평가액을 차례대로 적용

　주식과 가상자산은 상장여부에 따라 시가평가가 달라진다. 흔히 상장된 주식과 가상자산은 다수의 참여자가 매수와 매도를 반복하면서 생성된 시가가 존재한다. 상장자산의 경우 시가를 인정하고 있다. 반면 비상장자산은 거래가 많지 않고 시가를 판단할 수 있는 지표가 많지 않다. 이 때문에 상속세및증여세법에서는 시가가 불분명한 자산들에 대해 대체적 평가방법을 제시하고 있다. 다만, 상증법상 대체적 평가방법은 세법에 익숙하지 않으면 계산하기 쉽지 않고, 평가에 대한 근거를 제시해야 하기 때문에 세무전문가의 도움을 받아 시가를 산정하는 경우가 많다.

　금전대차 시에는 법정이자율을 적용하여 이자를 수취하도록 하고 있다. 법정이자율은 1) 가중평균차입이자율과 2) 당좌대출이자율을 사용하고 있다. 가중평균차입이자율은 자금을 대여한 법인의 대여시점의 차입금 이자율을 의미한다. 회사가 금융기관 또는 타인으로부터(특수관계자 제외) 차입한 이자율보다 낮게 대여해주는 경우 부당하게 소득금액을 감소시킬 수 있기 때문에 이 경우 가중평균차입이자율을 시가로 본다. 만약 차입금이 없거나 특수관계자로부터 차입한 차입금만 존재하는 경우 가중평균차입이자율을 적용할 수 없게 된다. 이때는 법인세법에서 지정한 이자율을 사용하게 되는데 이를 당좌대출이자율이라고 한다. 돈을 빌릴 때 4.6%라는 이율을 자주 접할 기회가 있을 텐데, 4.6%가 법인세법에서 규정하고 있는 법정이자율이다.

이렇게 실체가 있는 물건의 거래는 시가를 파악하는 방법이 어렵지 않다. 반면 용역을 제공함에 있어 시가의 판단은, 해당 용역의 제3자간의 일반적인 용역제공수익률을 파악해야 하기 때문에 적절한 시가 입증이 쉽지 않다. 특수관계자와 용역거래를 고려하고 있다면, 일반적인 용역제공수익률을 고려하여 거래가격을 산정해야 할 것이다.

기준금액

부당행위계산부인이 조세부담감소를 위해 특수관계자와 행한 모든 거래를 부정하는 것은 아니다. 법에서는 거래금액이 시가와의 일정금액 혹은 일정비율 이상 차이가 발생하는 경우에는 해당 거래를 시가로 다시 계산하게 하고 있다. 다만, 부당행위계산부인은 시가와 거래금액 간 차이가 발생하더라도 그 차액이 3억원 이상이거나 시가의 5%에 상당하는 금액 이상인 경우에만 적용된다.

경제적 합리성

특수관계자와 거래에서 조세 부담이 감소하더라도 경제적 합리성 여부에 따라 부당행위계산부인 규정을 적용하지 아니할 수 있다. 경제적 합리성의 유무의 판단은 개별 사안별로 판단하고 있으므로, 유사 사례의 판례와 해석을 잘 살펴봐야 한다.

〈그림 : 부당행위계산부인 과정〉

특수관계인과의 거래인가? → 거래금액과 시가와의 차이가 큰가? → 경제적 합리성을 위배하는가? → 부당행위계산부인

5. 업무용승용차

유통 스타트업 K사는 출장이 잦은 영업부 직원을 위해 법인용 승용차 3대
를 구매하였다. K사의 대표이사 P씨는 구매한 법인차량을 통해 얼마나
절세효과를 누릴 수 있을지 궁금하다.

　매스컴을 통해 고가의 승용차나 스포츠카를 법인 및 사업자 명의로 운
용하는 경우를 심심찮게 볼 수 있다. 문제는 차량을 업무에 사용하지 않
고 사적으로 사용했음에도 불구하고 업무에 사용한 것처럼 비용처리를
한다는 것이다. 세법에서는 이 같은 문제를 해결하고자 업무용승용차 제
도를 통해 차량을 사업목적으로 사용한 경우에만 비용으로 인정하며, 고
가의 승용차를 취득한 경우 과도한 비용처리를 막고 있다.

업무용승용차의 범위[46)]
　업무용승용차에서 제외(표의 A, B)되는 자동차는 차량 사용 과정에서

---

46) 법인세법 시행령 제50조의2 1항

189

발생하는 지출이 모두 비용으로 인정된다. 이 차량들은 사적사용 가능성이 낮고 사업의 고유목적에 반드시 필요하기 때문이다. 반면 업무용 승용차는 사적으로 사용될 가능성을 고려해 세법에서 정하는 한도 내의 지출만 비용으로 인정된다.

구분	해당여부
대상	개별소비세 과세대상 승용자동차로서 아래 항목은 제외
제외	A. 배기량 기준 1,000 CC 이하 경차 B. 9인승 이상 승합차, 운수업, 자동차판매/임대업, 시설대여업, 운전학원업 등에 사용하는 승용차, 장례업의 운구차량, 자율주행자동차

연간 인정비용 한도[47)

보험가입	운행일지 작성	비용한도
업무전용 자동차 보험 가입 O	운행일지 작성 O	총주행거리에서 업무용 사용비율만큼 인정 감가상각비 연간 800만 원 한도 인정
	운행일지 작성 X	연간 1,500만 원(감가상각비 포함) 한도 인정 감가상각비 연간 800만 원 한도 인정
업무전용 자동차 보험 가입 X	비용 전액 불인정	

업무용승용차는 연간 인정비용 한도가 존재하며 비용으로 인정받기 위해서는 업무전용 자동차 보험을 반드시 가입해야 한다. 간혹 업무용 승용차를 구매하고 업무전용 자동차 보험에 가입하지 않는 경우가 있는데, 이 경우 보험가입시점까지 사용한 비용을 인정받지 못하기 때문에

---

47) 법인세법 시행령 제50조의2 4항~7항

업무용승용차 구매를 고려한다면 반드시 업무전용 자동차 보험을 가입해야 한다.

업무용승용차 비용 인정을 위한 절차

1) 업무전용 보험 가입

업무용승용차의 비용을 인정받기 위해서는 앞서 언급한 것처럼 업무전용 자동차보험에 가입해야 한다. 업무전용 자동차보험이란, 해당 법인의 임원 또는 직원, 파견근로자로서 해당 법인의 업무를 위하여 운전하는 자 등이 운전하는 경우만 보상하는 자동차보험을 말한다.

2) 운행일지 작성

법인세법에서는 감가상각비, 임차료, 유류비, 보험료, 수선비, 자동차세 등 업무용승용차의 취득, 유지를 위해 지출한 금액을 세법상 비용으로 인정하고 있다. 하지만 모든 지출 금액이 인정되는 것은 아니고 운행일지 작성을 통해 업무목적으로 사용한 비율만큼만 허용하고 있다. 업무용승용차 관련 비용이 100만 원 발생했고, 실제 그 해 업무목적 사용비율이 90%라면, 세법상 비용은 90만 원만큼 인정된다.

하지만 운행일지를 작성하지 않는다면 연간 1,500만 원 한도까지만 비용으로 인정되므로 신차를 구입했거나, 업무용승용차 가격이 높은 경우 지출비용이 1,500만 원을 초과할 가능성이 높기 때문에 반드시 운행일지를 작성하길 바란다. 반대로 차량 취득시점이 오래되어 감가상각이 모두 완료되었거나, 연간 지출비용이 1,500만 원을 초과하지 않는다면 운행일지를 작성하지 않아도 모든 지출 금액을 비용으로 인정받을 수 있다. 참고로 운행일지에 대한 운행기록부 서식은 국세청 홈페이지에서 다운받을 수 있다.

[업무용승용차 운행기록부에 관한 별지 서식] <2016.4.1. 제정>					상 호 명		
과 세 기 간	· ·	**업무용승용차 운행기록부**			사업자등록번호		
1. 기본정보							
①차 종		②자동차등록번호					
K7		123가4567					
2. 업무용 사용비율 계산							
①사용 일자 (요일)	④사용자		⑤주행 전 계기판의 거리 (㎞)	⑥주행 후 계기판의 거리 (㎞)	⑦주행거리 (㎞)	운 행 내 역	
	부서	성명				업무용 사용거리(㎞)		⑩비 고
						⑧출.퇴근용(㎞)	⑨일반 업무용(㎞)	
01월 01일	경영	홍길동	100	150	50	0	50	

출처 : 국세청

기타 유의사항

1) 리스/렌트 차량의 감가상각비 계산[48]

업무용승용차는 관리와 추후 처분과정에서의 편의성 때문에 리스나 렌트로 이용하는 경우가 많다. 매입자산은 회사 자산이므로 감가상각비 처리가 가능하지만, 리스나 렌트는 소유권이 캐피탈 회사나 렌트 회사에 있기 때문에 회사 입장에서 감가상각비 계상이 불가능하다.

하지만 세법에서는 구매, 리스, 렌트 등 차량 구매 방법에 따라 세금이 달라지는 것을 방지하기 위해 리스 및 렌트 차량에 지출한 임차료 중 일

---

48) 법인세법 시행규칙 제27조의 2 5항

부를 감가상각비로 보아 계산한다.

① 리스차량

리스한 승용차는 리스료 중 보험료, 자동차세 및 수선유지비를 차감한 금액을 감가상각비 상당액으로 보고 있다. 수선유지비를 별도로 구분하기 어려운 경우에는 리스료(보험료와 자동차세 차감한 금액)의 93%를 감가상각비 상당액으로 인정한다.

② 렌트차량

렌트차량도 리스차량과 마찬가지로 감가상각비 계산이 불가능하기 때문에 지급한 임차료의 70%를 감가상각비 상당액으로 인정하고 있다.

2) 임직원 개인소유 차량의 업무용 사용시 손금인정 여부

임직원의 개인소유 차량을 업무수행에 이용하는 경우가 있다. 해당 차량은 업무에 사용했다고 하더라도 법인이나 개인사업자가 보유하는 자산에 해당하지 않아 업무용승용차로 인정받을 수 없다. 즉, 개인차량을 1년 내내 사용했다고 하더라도 해당 차량의 감가상각비와 자동차세 등을 회사의 비용으로 처리하는 것이 불가능하다.

다만, 임직원이 개인소유의 차량을 이용하여 회사의 출장업무에 사용할 경우, 임직원에게 지급하는 여비는 당해 법인의 업무수행상 통상 필요하다고 인정되는 부분의 금액에 한하여 사용처별로 거래증빙과 객관적인 자료를 첨부하는 경우에 손금산입이 가능하다.[49]

---

49) 법인세법 기본통칙 19-19…36, 법인, 서면인터넷방문상담2팀-2632,2006.12.20, 법인 46012-3088, 1996.11.06

6. 임원의 급여와 퇴직급여

사례

물류 스타트업 B사의 대표이사 K씨는 본인을 포함한 등기이사 3인의 급여를 책정하려고 한다. 얼마전 OO협회에서 진행했던 기업세무 교육 시간 중 임원의 급여와 퇴직급여를 지급하기 위해서는 관련 규정이 구비되어 있어야 한다는 이야기를 들었다. K씨는 임원 급여 및 퇴직급여와 관련된 구체적인 내용이 궁금하다.

임원 보수 설정에 대한 내용은 실무현장에서 자주 나오는 주제다. 급여를 어느 수준으로 설정해야 하는지 궁금해하는 분들이 많은데, 개인별로 소득의 원천과 소득금액이 다르기 때문에 이에 대한 정답은 없고 각자의 상황에 맞게 설정하는 것이 중요하다. 그리고 임원의 급여는 직원에게 지급하는 보상과는 달리 별도의 규정에 의해 지급되어야 하기 때문에 관련 보상 규정을 반드시 구비해 놓아야 한다.

임원의 급여

1) 임원의 보수규정

대다수의 회사가 주주총회에서 임원에게 지급하는 보수한도를 설정하고, 이사회를 열어 각 임원별로 지급하는 보수의 금액을 정한다. 스타트업의 경우 시간이 지나 주주가 많아지게 되면 주주총회를 열어 임원의 보수한도를 새로 결의하기가 다소 까다롭기 때문에 사업초기에 미리 보수한도를 여유 있게 설정해 놓는 것을 고려해볼 필요가 있다.

2) 임원의 보수한도

법인세법 시행령 제43조에 의하면, 보수한도를 초과하여 지급하는 금액은 법인의 비용으로 인정받을 수 없다. 보수한도를 초과하는 금액은 비용으로 인정되지 않고 법인세 과세표준에 가산된다.

> 법인세법 시행령 제43조(상여금 등의 손금불산입)
> 법인이 임원에게 지급하는 상여금 중 정관, 주주총회, 사원총회, 또는 이사회의 결의에 의해 결정된 급여지급기준에 의하여 지급하는 금액을 초과하여 지급한 경우 그 초과금액은 이를 손금에 산입하지 아니한다.

참고로 주주 겸 임원에게 지급하는 배당금은 임원의 보수규정에 해당하는 범위에 포함되지 않는다. 즉, 주주인 임원에게 지급하는 배당금은 보수한도와는 무관하게 지급 가능하다.

임원의 퇴직금

일반적으로 근로자들은 근속 연수에 비례하여 퇴직금을 지급받게 된다.[50] 반면 임원은 다른 직원들과 달리 근로자보호법의 적용을 받지 않으며, 별도의 회사 내부규정에 근거하여 퇴직금을 지급받는다. 다만, 퇴직급여는 다른 소득들과 합산되어 과세되지 않고, 낮은 세율이 부과되기 때문에 세법에서는 임원에게 퇴직금을 과도하게 지급하는 것을 방지하게 위해 퇴직급여로 인정받을 수 있는 임원 퇴직급여 한도를 설정하고 있다.[51]

1) 퇴직금 지급규정

임원의 퇴직급여는 정관에서 퇴직금 지급규정을 정하여야 하고, 정관에서 정하지 않은 경우에는 퇴직 전 1년간 총급여액의 10%에 근속연수를 곱한만큼 법인의 비용으로 인정된다.

2) 퇴직금의 한도

퇴직금 지급 규정에 의거하여 지급하는 퇴직급여는 법인세법상 법인의 비용으로 모두 인정받을 수 있다. 하지만 소득세법에서는 세율 측면에서 근로소득보다 유리한 퇴직급여로 과도하게 많은 금액을 지출하는 것을 방지하기 위해 임원퇴직급여 한도를 설정하고 있다.

---

50) 근로자퇴직급여 보장법 제8조
51) 소득세법 제22조 제3항

즉, 퇴직금을 지급하는 법인은 퇴직금 지급 규정만 있으면 모두 비용으로 처리할 수 있지만, 퇴직금을 받는 임원은 소득세법에서 정하는 한도 내 금액만 퇴직급여, 그리고 한도를 초과하는 나머지 소득은 근로소득으로 처분된다.

구분	한도
2011년까지의 근무기간	전액 인정
2012. 01. 01 ~ 2019. 12. 31까지의 근무기간	3배수 적용
2020. 01. 01 이후의 근무기간	2배수 적용

퇴직금을 받는 임원 입장에서는 2011년 이전 근무기간 동안 발생한 퇴직급여는 전액 퇴직소득으로 인정 가능하다. 그 이후 기간에 지급하는 퇴직급여는 퇴직 전 3년의 평균임금의 10%에 해당하는 금액에 근속연수의 2배(3배)를 반영한 금액만을 퇴직소득으로 인정하고 있다. 한도를 초과하여 지급하는 금액은 근로소득으로 처분된다.

3) 임원 퇴직금 리스크 절감 방안

법인 입장에서 임원에게 지급한 퇴직급여는 정관 혹은 퇴직금 지급규정에 어긋나지 않으면 전액 비용으로 인정 가능하기 때문에, 미리 지급 한도 등을 충분하게 설정하는 것이 중요하다. 다만, 법인세법에서 비용으로 인정받더라도 소득세법 임원 퇴직급여 한도 규정에 따라 한도를 초과하는 금액은 근로소득으로 처분되기 때문에 임원의 퇴직이 예상되는 시점 직전 3년간은 급여를 지속적으로 인상시키는 것이 좋다. 퇴직 직전

3년간 급여를 기준으로 퇴직급여 한도가 설정되기 때문이다.

　다만, 급여가 증가함에 따라 법인의 재무제표상 부채 항목인 퇴직급여 충당부채가 늘어날 뿐만 아니라 덩달아 임원의 소득세 부담액도 늘어나기 때문에 법인과 임원의 상황을 모두 고려해 결정하는 것이 중요하다.

7. 각종 세액공제

매년 증가하는 세금이 고민인 헬스케어 스타트업 A사. A사의 대표이사 H씨는 세무대리인 K회계사와의 상담을 통해, 세금을 줄일 수 있는 세액공제 제도에 대해 알게 되었다.

국가에서는 성장하는 기업에 대한 세부담을 줄여주는 정책을 통해 기업을 지원하고 있다. 대표적으로 연구활동을 활발하게 하는 기업과 고용을 늘리는 기업에 대한 세액공제 제도가 있다.

연구인력개발비 세액공제[52]

조세특례제한법에서는 법인이나 개인이 연구개발 및 인력개발을 위해 사용한 비용의 일정 비율을 세금에서 공제해주고 있다. 많은 스타트업에서 연구개발활동을 활발하게 하고 있기 때문에, 해당 규정을 잘 활용하여 세금을 줄일 수 있도록 준비해보자.

---

52) 조세특례제한법 제10조

1) 대상

연구인력개발비용을 지출한 개인 및 법인[53]

2) 범위

개인 및 법인이 지출한 연구인력개발비 중 대통령령으로 정하는 비용 범주에 포함되는 지출이어야 한다. 연구인력개발 명목으로 지출한 모든 비용이 세액공제 대상이 되는 것은 아니며, 조세특례제한법 시행령에서 세액공제가 가능한 비용을 명시하고 있다.[54]

따라서, 적법하지 않은 비용이 세액공제에 반영되지 않도록 공제 가능한 비용을 선별하는 절차가 필요하다.

3) 요건[55]

대분류	중분류	비고
인건비	물적요건	독립된 공간에 연구소 혹은 전담부서 마련.
	겸직금지요건	연구소 또는 전담부서 연구원은 연구 외 업무는 수행하지 않음
	기타	근로와 관계없이 지급하는 비용은 제외, 기업이 부담한 산재보험료는 제외, 퇴직연금 등의 부담금과 퇴직연금계좌에 납부한 금액은 제외
재료비	적정성	전담부서에서 연구용으로 사용하는 용도

53) 조세특례제한법 제10조 제1항
54) 조세특례제한법 시행령 별표6
55) 국세청 연구인력개발비세액공제 사전심사 가이드라인

4) 공제비율

기업별로 공제비율이 상이하며, 당해 발생금액기준 또는 전년대비 증가액 기준으로 계산한 공제 금액 중 선택하여 적용한다.[56]

기업구분	발생금액 구분	공제비율
중소기업	당해 발생금액 기준	당해 발생금액의 100분의 25
	전년대비 증가액 기준	증가액 기준 100분의 50
중견기업	당해 발생금액 기준	당해 발생금액의 100분의 8
	전년대비 증가액 기준	증가액 기준 100분의 40
대기업	당해 발생금액 기준	당해 발생금액 x Min(계산금액(*1), 100분의 2)
	전년대비 증가액 기준	증가액 기준 100분의 25

(*1) 해당 과세연도의 수입금액에서 일반연구인력개발비가 차지하는 비율 × 1/2

참고로 신성장/원천기술 및 국가전략기술 관련 연구개발비는 좀 더 높은 공제율이 적용된다.

고용증대 세액공제[57]

사업을 운영하는 과정에서 가장 많이 하는 고민은 바로 인력관리이다. 인력의 추가 채용에 따른 비용이 적지 않기 때문에, 고용을 주저하는 경우가 많다. 세법에서는 고용을 장려하기 위해 고용이 증가한 개인이나 법인에 대해 세액공제 혜택을 제공하고 있다.

---

56) 조세특례제한법 제10조 제1항
57) 조세특례제한법 제29조의7

1) 대상

해당 과세연도의 대통령령으로 정하는 상시근로자의 수가 직전 과세
연도의 상시근로자의 수보다 증가한 개인 및 법인[58]

2) 상시근로자의 구분

구분	설명
청년등상시근로자	청년 정규직 근로자, 장애인 근로자 60세 이상인 근로자 등 대통령령으로 정하는 상시근로자
청년등상시근로자 외 근로자	청년등상시근로자 외 근로자

3) 세액공제금액[59]

구분	수도권/비수도권	세액공제 금액
중소기업	수도권 내 위치	증가 청년등상시근로자 수 X 1,100만 원
		증가 청년등상시근로자 외 근로자 수 X 700만 원
	비수도권 위치	증가 청년등상시근로자 수 X 1,200만 원
		증가 청년등상시근로자 외 근로자 수 X 770만 원
중견기업	위치 무관	증가 청년등상시근로자 수 X 800만 원
		증가 청년등상시근로자 외 근로자 수 X 450만 원
대기업	위치 무관	증가 청년등상시근로자 수 X 400만 원
		증가 청년등상시근로자 외 근로자 수 : 해당사항 없음

---

58) 조세특례제한법 제29조의7 제1항
59) 조세특례제한법 제29조의7 제1항

4) 사후관리[60]

세액공제 규정에 의해 법인세나 소득세를 최초로 공제받은 과세연도 종료일로부터 2년이 되는 날이 속하는 과세연도의 종료일까지 최초로 공제를 받은 과세연도에 비하여 상시근로자가 감소한 경우에는, 공제받은 세액에 대해 세금을 납부해야 할 수 있다. 이 같은 사후관리 규정 때문에 법인세/종합소득세 신고 시 회사의 미래 인력 수급계획에 기반하여 세액공제를 신청하고 있다. 인력계획이 확정되지 않은 사업체는 고용증대세액공제 신청을 신중하게 고려해보거나, 3차연도까지 공제요건을 만족시킨 후 경정청구를 이용하여 납부세액을 환급받는 방법을 고려하는 것이 좋다.

구분	연구인력개발비 세액공제	고용증대 세액공제
근거 법	조세특례제한법 제10조	조세특례제한법 제29조의7
대상	연구인력개발비용을 지출한 개인 및 법인	상시근로자의 수가 증가한 개인 및 법인
공제 요건	연구인력개발 명목으로 지출	상시근로자의 채용
세액공제 금액	기업 규모에 따라 상이	
사후관리	-	최초 공제받은 사업연도로부터 2년 동안 상시근로자 수가 감소하지 않아야 함

---

60) 조세특례제한법 제29조의7 2항

8. 세무조사

사례

설립한 지 6년이 지난 물류 스타트업 G사. 매출과 이익이 매년 증가하는 G사는 아직 세무조사를 받은 경험이 없다. G사의 대표이사 U씨는 언젠가 마주하게 될 세무조사가 너무나 걱정된다.

최근 국세청 통계를[61] 살펴보면 2021년 세무조사를 받은 개인사업자는 4,077명이며 징수액은 7,944억 원 그리고 세무조사를 받은 법인사업체는 4,073곳이며 징수액은 3조 9,883억 원이다.

전체 사업자 수 대비 조사대상사업자 수 비율은 개인 0.05%, 법인 0.43%로, 세무조사 받을 확률로만 보면 매우 낮은 수치이므로 세무조사를 피해 갈 것이라 생각할 수 있다. 하지만 세무조사 결과로 사업체당 평균징수액이 개인사업자는 2억원, 법인사업자는 9.8억원이라는 것을 감안하면 운에 맡기기에는 너무나 위험부담이 크다. 따라서 내 회사에도 언제나 세무조사가 나올 수 있다는 생각으로 대비해야 한다.

---

61) e-나라지표 국세청 세무조사 추이 참고

세무조사의 종류와 조사대상

1) 정기 세무조사[62]

아래 3가지 중 하나에 해당하면 정기 세무조사 대상에 선정된다. 회사를 성실하게 운영했을지라도 무작위추출방식 표본조사를 통해 정기 세무조사 대상에 선정될 수 있다.[63]

- 국세청 내부 전산망을 통해 정기적으로 성실도를 분석한 결과 불성실 혐의가 있다고 인정하는 경우
- 최근 4과세기간 이상 같은 세목의 세무조사를 받지 아니한 납세자에 대하여 업종, 규모, 경제력 집중 등을 고려하여 대통령령으로 정하는 바에 따라 신고 내용이 적정한지를 검증할 필요가 있는 경우
- 무작위추출방식으로 표본조사를 통해 선정하는 경우

2) 비정기 세무조사[64]

아래 5가지 중 하나에 해당하는 경우, 비정기 세무조사 대상에 선정될 수 있다.[65]

- 납세자가 세법에서 정하는 신고, 성실신고확인서의 제출, 세금계산서 또는 계산서의 작성 · 교부 · 제출, 지급명세서의 작성 · 제출 등의 납

---

62) 국세기본법 제81조의6 2항
63) 국세기본법 제81조의6 2항
64) 국세기본법 제81조의6 3항
65) 국세기본법 제81조의6 2항

세협력의무를 이행하지 아니한 경우

- 무자료거래, 위장 · 가공거래 등 거래 내용이 사실과 다른 혐의가 있는 경우
- 납세자에 대한 구체적인 탈세 제보가 있는 경우
- 신고 내용에 탈루나 오류의 혐의를 인정할 만한 명백한 자료가 있는 경우
- 납세자가 세무공무원에게 직무와 관련하여 금품을 제공하거나 금품 제공을 알선한 경우

세무조사의 선정[66]

사업자는 법에서 규정하고 있는 신고의무에 따라 세금신고 · 납부의무를 진다. 보통 과세관청에서는 세금 신고 건에 대해 실시간으로 피드백을 주지 않고 몇 년이 지난 후 과거 세무신고 내역을 조사하기 때문에 과거 세무신고 자료를 잘 보관하는 것이 중요하다. 세무조사 선정과정은 국세청 전산망 NTIS를 통해 이뤄지고 있으며 사전에 예측하기 힘들지만, 매출 수준에 따라 세무조사 가능성을 어느 정도 유추해 볼 수 있다.

매출액 구분	선정기준
간편장부대상자인 개인, 연간 수입금액 3억 원 이하인 법인	세무조사 면제
연간 수입금액 500억 원 초과하는 특정법인(*1)	5년 주기 순환조사 실시
연간 수입금액 1,500억 원 초과하는 법인	5년 주기 순환조사 실시

*1 「독점규제 및 공정거래에 관한 법률」에 따른 상호출자제한기업집단 소속 법인, 자산 2천억 원 이상 법인, 전문인적용역 제공법인

---

66) 국세청 세무조사 가이드북

세무조사의 진행

1) 사전 통지

세무조사 개시 15일 전까지 조사대상 세목, 과세기간, 조사기간, 조사 사유 등이 기재된 통지서를 고지한다. 간혹 비정기 세무조사는 사안의 특수성을 고려하여 사전고지 없이 세무조사를 진행하기도 한다.[67]

2) 세무조사의 연기신청

세무조사를 받기 곤란한 때에는 세무조사의 연기 및 일정변경 요청이 가능하다. 세무조사 연기 및 변경 신청은 천재지변, 질병, 화재, 납세자 의 질병, 장기출장 등 특수한 상황에 처한 경우에만 가능하다. 다만, 조 세를 확보하기 위해 조사를 긴급히 개시할 필요가 있다고 인정되는 경우 에는 연기신청이 불가능할 수 있다.

3) 세무조사 기간

2021년 기준 법인의 평균 세무 조사일수는 43.5일을 기록하였으며[68], 세무조사 기간을 결정하는 기준은 다음과 같다.[69]

---

67) 국세기본법 제81조의7 제1항
68) 유일지. 세정일보. ['22년 국감] 법인 세무조사 평균 43일, 역대 최장기간. 2022.10.21.
　　URL : https://www.sejungilbo.com/news/articleView.html?idxno=39757
69) 국세기본법 제81조의8

구분	세무조사 기간
연간 수입금액 또는 양도가액이 100억 원 미만	20일 이내
이 외	세목, 업종, 난이도 등을 고려하여 결정
조사기간의 연장	1) 조사 기피 행위가 명백한 경우 2) 세금탈루 혐의가 포착된 경우 3) 천재지변 및 노동쟁의로 중단 시 4) 이외 세무조사 대상자가 세금탈루혐의에 대한 해명을 요청하여 납세 담당관이 이를 인정한 경우

4) 조사결과의 통지

세무조사 종료 시 세무조사 결과가 통지되며 통지내용에는 세무조사 내용, 예상 고지세액 과세표준 및 세액결정·경정내용, 가산세 종류, 산출근거 등이 포함된다.[70] 조사결과를 수취 후 이의가 없는 경우 조기 결정신청서를 작성하여 가산세 감면을 받을 수 있다. 조사결과에 이의가 있을 때에는 통지를 받은 후 30일 이내에 과세전적부심사 청구가 가능하다.[71]

〈그림 : 세무조사 과정〉

조사대상자 선정 → 사전통보/ 사안별 미통지 → 조사 실시 및 결과 통보 → 조사 종결

---

70) 국세기본법 제81조의12
71) 국세기본법 제81조의15

Lesson6

일어나선 안 될 자금사고

1. 자금사고의 발생 원인과
발생 징후

최근 Series B를 마친 스타트업 Y사는 당혹스러운 상황에 처했다. 입사 3개월 차인 재무팀장 D씨가 가상화폐 투자를 위해 회사 자금 10억 원을 횡령했기 때문이다. 불행히도 Y사는 D씨의 가상화폐 투자손실로 인해 10억 원 중 1억 원만 회수할 수 있었다. 이 사건 이후 Y사의 대표이사 R씨는 기존 주주인 투자자의 요청에 의해 자금통제활동을 강화할 것을 요청받았다. R씨는 자금사고를 방지하기 위해 어떤 조치를 취해야 할지 고민에 빠졌다.

2021년 말, 2,000억 원데 횡령이 발생한 O사 사건의 주모자 재무팀장이 최근 징역 35년을 선고받았다. 역대급 규모의 횡령사건으로 O사의 주가는 급락하였으며, 다른 회사들은 황급히 자금시스템을 점검하는 모습을 보였다. 이외에도 ○○은행에서 664억, 서울 ○○구청에서 115억 원에 달하는 횡령사건이 밝혀지는 등 산업을 가리지 않고 자금사고가 발생하고 있다.

누군가는 모두가 알만한 회사에서 자금사고가 발생하는 이유를 잘 이해하지 못할 수 있고, 상대적으로 규모가 작은 스타트업은 오히려 자금사고에서 안전하다고 생각할 수도 있다. 하지만 규모, 업종과는 상관없이 모든 회사는 항상 자금사고 위험에 노출되어 있다. 우리는 자금사고 방지책을 수립하기에 앞서, 자금사고가 일어나는 이유와 자금사고의 발생 징후에 대해 알아야 한다.

부정의 3요소

회계에서는 자금사고와 같은 부정을 발생시키는 요소를 크게 기회, 압박감, 합리화라는 요소로 구분하여 설명한다.[72]

구분	설명
기회	부정행위를 할 수 있는 상황을 의미
압박감	빚에 독촉당하는 상황 같은 부정행위를 하도록 궁지에 몰릴 때의 정신상태
합리화	부정행위를 수행하면서 스스로에게 합리화

위에 언급된 3가지의 부정의 요소들은 상호작용을 통해 부정을 발생시킨다. 3가지 요소들 중 압박감과 합리화는 개인별로 상이한 경우가 많고 측정이 어렵다. 상대적으로 기회 항목은 회사의 부정이 가능한 환경을 의미하기 때문에 제3자가 분석이 가능하고 피드백 제공이 가능하다. 따라서 우리는 기회에 초점을 맞춰 부정행위를 할 수 없도록 내부통제시스템을 설계해야 한다. 실무에서 가장 많이 발견되는 내부통제시스템의 취약점 두 가지는 업무분장과 업무순환의 미비이다.

---

72) Cressey (1950). Donald R. Cressey, The Fraud Triangle

자금사고의 발생 원인

1) 업무분장의 미비(회계담당자와 자금담당자의 미분리)

대부분의 스타트업은 회계담당자가 자금업무를 겸하고 있다. 심지어 내부통제에 대해 검토나 감사를 받는 상장회사에서도 회계와 자금업무가 분리되어 있지 않는 경우가 있다. 회계와 자금 업무의 미분리는 자금사고의 주된 원인이다. 지금부터 회계담당자와 자금담당자가 분리되어야 하는 이유를 알아보자.

가) 회계담당자와 자금담당자의 역할

회계담당자는 회사에서 발생하는 일련의 거래 증빙을 수취 및 검토하고 기록하는 역할을 한다. 타부서에서 발생한 거래에 대해 회계기록 관리를 하며, 재무분석을 수행한다.

자금담당자는 회사의 단기, 중/장기 자금계획을 수립하며 자금의 조달 및 운용업무를 수행한다.

나) 구분되어야 하는 이유

각각의 업무를 분리함에 따라 부정행위를 방지할 수 있다. 자금담당자가 자금업무를 수행 후 직접 재무제표 작성을 하게 되면 독립적인 검토가 이뤄지지 않아 사실과 다른 회계처리로 부정행위를 저지를 수 있다.

2) 장기간 업무순환이 이뤄지지 않음

자금담당자는 일정 주기로 업무순환을 통해 교체가 필요하다. 많은 회사에서 새로운 담당자가 왔을 경우 업무가 제대로 이뤄지지 않을 수 있다는 점 그리고 오랜 기간 근무하며 경영진이 자금담당자를 신뢰한다는 점 때문에 자금담당자를 교체하지 않는 경우가 많다. 하지만 장기간 자금업무를 수행하면 회사 자금시스템의 취약점을 알게 되므로, 자금 담당자 입장에서는 횡령을 하더라도 적발되지 않을 수 있을 것이라는 확신이 생길 수 있다.

따라서, 이러한 확신이 생기기 전 자금사고 방지를 위해 담당직원의 순환이 필요하다. 업무순환이 힘들다면 담당직원을 주기적으로 휴가를 보내 컴퓨터를 점검해보는 절차를 수행할 수도 있다. 또한, 담당자 혼자 자금업무를 담당하기보다는 둘 이상의 인원을 배정해 수행한 업무를 서로 확인하는 절차를 갖추는 것도 중요하다.

횡령사건을 분석하면 단기간에 많은 금액을 착복하는 경우는 매우 적다. 회사 운용에 필요한 자금이 부족해지면 바로 들통날 가능성이 높기 때문이다. 횡령의 대부분은 장기간 동안 조금씩 진행되는 경우가 많기 때문에 자금담당자가 오랜 기간 동안 자금업무를 담당하였다면 예방차원에서 점검해보길 바란다.

자금사고의 발생 징후

그렇다면 자금사고를 알아챌 방법은 없을까? 자금사고를 포함한 회계 부정을 저지른 이들이 보인 행동, 행태에 대해 정리한 통계자료가 있다. 만약 자금담당자가 아래와 같은 행동을 보인다면 예의주시할 필요가 있다.

부정 행위자가 나타내는 행동/징후	발생비율
경제적 수준에 비해 사치스러운 생활	42%
경제적으로 어려움	26%
공급업체/고객과 과도하게 친밀한 관계	19%
위험 신호 없음	15%
동료와 업무 공유를 꺼림	15%
과민반응, 의심 또는 방어적인 태도	13%
사업이나 정치에 능숙하며, 때로는 부정직한 방법으로 거래하는 경우	13%
이혼/가정 문제	12%
약물 중독 문제	9%
급여에 대한 불만	8%
휴가를 가지 않음	7%
조직 내부의 과도한 업무상 압박	7%
과거 고용 관련 문제	6%
사회적 고립	6%
권한 부족에 대한 불만	5%
과거 법률 문제	5%
가족/동료의 성공에 대한 과도한 압박	4%
생활환경의 불안정	4%
기타	4%

(출처 : Report to the Nations, 2020 Global study on Occupational Fraud and Abuse, Association of Certified Fraud Examiners(ACFE))

2. 자금사고 유형

사례

스타트업 E사의 대표이사 A씨는 최근 들어 회사자금이 새어 나간다는 기분이 들었다. 평소 알고 지내던 자금사고 전문 K회계사로부터 자금사고에 대한 이야기를 들은 A씨는 어쩌면 회사 내부에서 자금사고가 발생했을지도 모른다는 생각이 들었다.

자금사고는 다양한 형태로 발생한다. 그중 가장 빈번한 자금사고 유형 몇 가지를 소개하면 다음과 같다.

1) 자금의 일시 유용 및 반환

자금사고 유형 중 가장 흔히 발생하는 케이스로, 자금담당자가 회사의 자금 중 일부를 유용하고 결산일자에 맞춰 채워 넣으면 결산 과정에서 발견되지 않는 점을 이용하는 방법이다. 이 자금사고는 결산일 전에 유용한 금액을 채워 넣으면 잔액은 이상이 없기 때문에 발견하기 쉽지 않으나 반환되지 않으면 바로 적발되게 된다. 실제로 주식이나 가상화폐 투자원금 마련을 위해 자금담당자가 자금을 일시 유용하는 사례가 종종 발견된다.

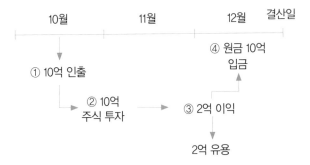

2) 거래처를 생성 후 중간유통마진 수취

회사가 거래하는 곳이 다수인 경우, 모든 거래처를 일일이 확인하기 힘들다는 점을 이용하여 회사의 재산을 유용하는 방법이다. 구매담당자가 원재료를 공급하는 거래처와 협의하여 중간유통마진을 수취하기 위해 회사를 설립한다. 신규 설립된 회사는 기존 공급업체로부터 물품을 공급받고 공급받은 물품에 일정 마진을 추가하여 납품한다. 신규 회사가 중간에서 마진을 지속적으로 수취하게 되면 단가 상승으로 인해 결과적으로 모든 피해는 회사가 입게 된다. 주로 회사 거래처에 대한 신용평가 절차가 구비되어 있지 않거나, 구매담당자에게 업체선정 업무를 전적으로 맡기는 경우 발생한다.

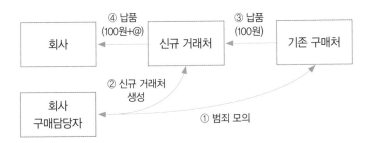

3) 경조사비 규정을 이용한 현금 유용

세법에서는 거래처 임직원의 결혼식이나 장례식 같은 경조사에 지출하는 금액에 대해 20만 원까지 비용으로 인정하고 있다. 경조사비는 관련 영수증을 수취하기 힘들다는 점 때문에, 청첩장이나 부고장을 지출 증빙으로 인정하고 있다. 이 때문에 경조사의 당사자가 거래처 직원이 맞는지 확인하기 어려운 점을 악용하기도 한다.

실무적으로 회사업무와 전혀 무관한 사람의 부고장, 청첩장 혹은 모바일 청첩장을 임의로 만들어 현금을 유용하는 사례를 많이 볼 수 있다. 실제로 규모가 있는 회사에서는 적발되기까지 시간이 상당히 소요되는 때가 많다. 이는 회사 규모 대비 1회당 지출되는 경조사비의 금액 자체가 적을 뿐만 아니라, 실제로 거래처 임직원의 경조사가 맞는지 확인하는 절차가 번거롭고 복잡하기 때문이다.

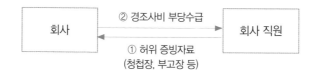

4) 적립된 포인트를 개인적으로 사용

인터넷으로 물품을 구매 시 네이버 같은 사이트를 이용하면 사용한 금액에 비례하여 포인트를 지급한다. 일반적인 회사의 총무팀 담당자는 주기적으로 인터넷을 활용하여 회사에 필요한 물품을 구입한다. 회사 자금으로 물품을 구입하면 포인트가 지급되는데, 생성된 포인트를 담당자가 개인적으로 유용하는 경우가 있다. 하지만 회사 명의로 생성된 적립 포인트는 회사의 자산이기 때문에 개인적으로 사용해서는 안 된다. 실무적으로는 포인트까지 관리하는 회사들은 많지 않아, 유용할 수 있는 환경에 노출되어 있어 이에 대한 관리가 필요하다.

비슷한 사례로 법인카드 포인트가 있다. 법인카드는 법인의 임직원들이 사업목적으로 사용하기 때문에 사용금액이 작지 않아 발생하는 법인카드 포인트도 많다. 누적된 포인트는 법인카드 결제금액을 차감하는 용도로 사용이 가능하지만, 현금카드로 지급받는 경우도 있다. 현금카드로 지급받으면 해당 카드를 사업용도로 사용해야 하지만 관리가 어렵다는 점 때문에, 담당자가 개인적으로 사용하는 사례가 종종 발견된다.

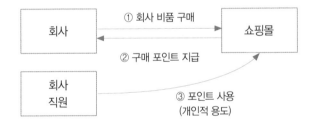

5) 반품된 제품의 폐기처리 후 개인적으로 판매

회사는 소비자에게 판매한 제품이 반품되면, 검수부서에서 확인하는 절차를 거친다. 검수과정에서 판매가 가능한 제품은 가공 후 재판매를 하게 되며, 물품에 결함이 있다고 확인되면 폐기한다. 이때 회사에서 폐기판정 받은 제품들에 대해 제대로 관리하지 않고 있다는 점을 악용한 검수담당자는 고의로 양품을 폐기 판정한 후 판매하기도 한다. 행정상으로 폐기된 제품을 담당자가 개인적으로 판매하여 이득을 취하게 되면 업무상 횡령으로 분류된다.

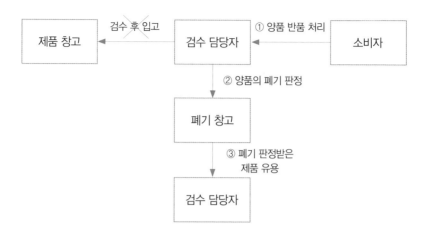

3. 자금사고 방지책(자금통제)

게임 스타트업 A사는 얼마 전 Series A 투자를 마무리했다. A사는 얼마 뒤 투자자로부터 자금사고 방지 대책 수립을 위해 자금통제활동을 강화하는 것이 어떻겠냐는 이야기를 들었다. A사는 자금사고 방지를 위해 어떻게 해야 할지 고민에 빠졌다.

많은 기업이 자금사고를 예방하기 위해 내부통제를 강화하고 있다. 중견기업 및 대기업의 경우 고도화된 내부통제 시스템 도입을 통해 자금사고 발생가능성을 미리 파악하고 예방하는 반면, 상대적으로 인력과 자금이 부족한 스타트업은 시스템 구축이 쉽지 않아 시스템보다는 주로 인력에 의한 통제에 의존하고 있다.

하지만 효과적인 자금사고 방지를 위해서는 사람에 의존하기보다 시스템에 의한 통제가 필요하다. 스타트업은 여건상 대기업에서 사용하고 있는 시스템을 동일하게 적용하는 것은 쉽지 않지만, 최소한의 통제절차 수립을 통해 자금사고 발생위험을 줄일 수 있으며 그 내용은 다음과 같다.

1) 업무의 분장

가) 회계팀과 자금팀의 분리

회계부서는 기업에서 발생하는 일련의 거래들을 기록하고 확인하는 역할 그리고 자금부서는 자금 거래를 실행하는 역할을 담당한다. 숫자를 다룬다는 인식 때문에 대다수의 스타트업이 회계와 자금 업무를 동일 부서에서 수행한다. 회계와 자금을 분리하지 않으면 부적절한 자금 거래가 발생하더라도 회계기록에 제대로 반영되지 않을 수 있다. 회계부서는 자금부서뿐만 아니라 다른 부서에서 수행한 업무를 검토하고 관련 증빙에 맞도록 제대로 기록하는 역할만을 수행해야 한다. 실제 현장에서는 회계와 자금 업무를 동시에 수행하는 재무담당자가 횡령하는 사례가 자주 보인다.

나) 자금담당자의 업무 순환

자금사고는 대개 회사 통제 시스템의 취약점을 악용해 발생하는 경우가 많다. 이를 예방하기 위해서는 취약점을 잘 알고 있는 자금담당자를 다른 업무로 순환하는 것이 필요하다. 하지만 대다수 기업에서 인력난 등의 이유로 업무 순환을 잘 수행하지 않는데, 자금업무를 담당하는 직원은 최대 2년 근무 후 주기적으로 순환하는 것이 바람직하며 업무 순환이 이뤄지기 힘든 환경에서는 정기적으로 휴가를 부여하여 해당 업무를 타인이 수행하게 하는 방법 등을 이용하여 자금사고 발생유무를 검토할 필요가 있다.

2) 자금이체 시 승인절차

가) 자금집행 시 관련 증빙첨부 및 검토

자금 집행 시 관련 증빙을 첨부 및 검토해야 하는 이유는 다음과 같다.

첫째, 잘못된 사용을 방지할 수 있기 때문이다. 증빙에 적힌 금액과 실제 지출금액의 대사, 거래처명 일치 여부, 실제 입금계좌 여부 등을 검토하여 부적절한 자금집행을 예방할 수 있다.

둘째, 세무적 관점에서 적격증빙을 갖춰야 하는 절차가 필수이기 때문이다. 많은 사업자들이 부가가치세 납부 등 세금 납부를 회피하기 위해 무증빙 거래나 현금거래를 하고 있다. 세법에서는 적법한 증빙이 갖춰져 있지 않은 거래를 비용으로 인정하고 있지 않으며, 이는 법인세나 종합소득세의 추가 납부로 이어져 기업의 재정적 건정성에 악영향을 줄 수 있다.

나) 다단계 이체시스템 사용

인터넷 뱅킹 시스템에서는 담당자별로 권한 구분이 가능하다. 자금사고 방지를 위해 인터넷뱅킹 신청 시 이체요청 권한과 이체승인 권한을 담당자별로 분리할 수 있다. 예를 들어 자금담당자에게는 이체요청 기능만 있는 공인인증서나 OTP를 부여하고, 최종 승인자인 CFO나 CEO는 요청받은 이체내역을 승인하는 권한을 부여한다. 자금관련 내부통제가 갖춰져 있지 않은 스타트업 입장에서는 활용하기 쉽고 자금사고 방지에 효과적인 방법이다.

3) 모니터링

가) 자금계획의 수립과 검토

기업의 자금은 자금계획대로 집행되어야 한다. 자금계획의 수립과 자금사고와의 상관관계에 대해 의문을 가질 수 있지만 기업의 재무적 안정과 성장을 위해 반드시 자금계획수립이 선행되어야 한다.

자금계획수립은 단기, 중기, 장기로 구성된다. 단기는 주로 1년 이내의 범위를 일컬으며 주로 전년도 실제 지출내역을 바탕으로 기업의 운영에 필요한 현금흐름을 예측한다. 중기 자금소요계획과 장기 자금소요계획은 각각 2~3년, 3년 초과 기간의 자금계획을 일컫는다.

경영진은 자금계획을 바탕으로 자금흐름을 정기적으로 검토해야 한다. 이 과정에서 계획에 따르지 않는 지출을 분석하고 원인을 파악하여 자금사고를 사전에 예방할 수 있다.

나) 물리적 보안

법인인감, 법인인감증명서, OTP 같은 주요 자산은 별도의 물리적 보관장치를 이용하여 분리보관 해야 한다. 법인인감, 법인인감증명서는 외부와 계약을 체결할 때 사용하는 중요 자산이다. 법인인감 도용으로 잘못된 계약을 체결할 수 있으며 이는 기업에 치명적인 영향을 줄 수 있다. 회사의 계약상대방은 인감의 위조나 무단사용 여부를 확인하기 어렵기 때문에, 위조 인감이 사용되더라도 형식적으로 문제없는 계약서라고 생각할 수밖에 없다. 하지만 인감의 위조와 무단 사용을 통한 계약은 추후 법적 분쟁을 일으킬 수 있다. 따라서 법인인감은 제한된 인원에게만 접근권한을 부여해야 하며, 법인인감을 사용할 때는 반드시 사용기록을 남겨야 한다. 마찬가지로 OTP만으로도 자금이체가 가능하기 때문에 접근 인원에 대한 물리적 통제가 필요하다.

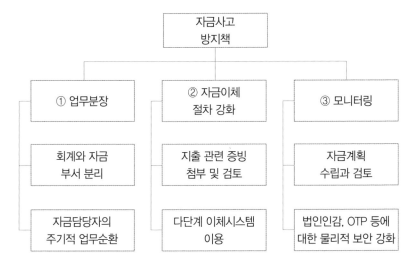

- 현대경제연구원(2016). 「국내외 스타트업 현황과 시사점」
- 박현숙, 나희경, 문계완(2023). 「스타트업의 기업 특성이 데스밸리 극복에 미치는 영향 : 개방형 혁신과 벤처캐피탈 지원의 조절효과」, 벤처창업연구
- 박순웅(2021). 「스타트업 30분 회계」, 라온북
- 이병권(2012). 「재무회계, 새로운 제안」
- 이항수(2019). 「K-IFRS 주요 계정과목별 회계처리 및 세무실무」, 영화조세통람
- 스타트업법률지원단(2020). 「스타트업 법률가이드 2.0」, 박영사
- 엄재욱, 이영환(2018). 「개인기업의 법인전환에 영향을 미치는 세법규정에 관한 연구」, 조세연구
- 한국벤처캐피탈협회(2020). 「벤처캐피탈 투자유치 길라잡이」
- 박진, 양영석(2022). 「창업초기투자 촉진을 위한 한국형 SAFE 활성화 방안에 대한 연구」, 벤처창업연구
- 박근우, 김성현, 이태규(2023). 「비상장주식 평가 세무 가이드」, 경성문화사

성공적인 투자유치를 위한
스타트업 회계

초판 1쇄 발행일 | 2023년 12월 1일

지은이 | 김상현, 김상민
펴낸곳 | 북마크
펴낸이 | 정기국
디자인 | 서용석
관리 | 안영미

주소 | 서울시 성동구 마조로 22-2, 한양대동문회관 413호
전화 | (02) 325-3691
팩스 | (02) 6442 3690
등록 | 제 303-2005-34호(2005.8.30)

ISBN | 979-11-981763-1-8 (13320)
값 | 15,000원

이 책은 저작권법에 따라 보호를 받는 저작물이므로 무단전재와 무단복제를 금하며,
이 책 내용의 전부 또는 일부를 이용하려면 반드시 저작권자와 북마크의 서면동의를 받아야 합니다.
• 잘못된 책은 바꾸어 드립니다.